KB183481

진보의 눈으로 국가재정 들여다보기

대한민국 **금고를 열다**

진보의 눈으로 국가재정 들여다보기

대한민국 금고를 열다

오건호 지음

Redian
열정과 진보 그리고 유혹의 미디어
레디앙

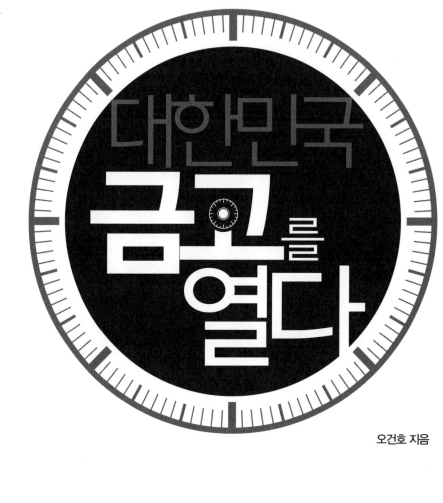

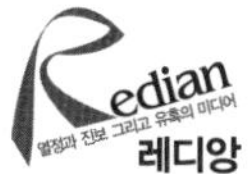

추천사

나라가 이상하다고 느껴질 때, 이 책을 보라

우석훈, 《88만원 세대》 저자

진보의 정책적 수권 능력, 최소한 재정 분야에서는…

2004년도에 민주노동당이 원내에 진출했다. 진보 정치로서는 역사적 순간이었다. 그들은 대대적으로 정책연구원을 확충하고 집권을 위한 로드맵을 만들었다. 실제로 정책연구원 채용은 성공적이었던 것 같지만, 집권 로드맵은 이제 아무도 기억하지 못한다. 집권을 위해서는 두 가지가 설명이 되어야 하는데, 바로 수권 능력과 대중적 정당성이다. 당시 민주노동당은 두 가지 모두를 충족시키지 못했고, 2007년 대선을 계기로 민주노동당은 분당되었다. 이러한 분당 과정에는 몇 가지 다른 해석이 있을 수 있는데, 나는 분당 과정에서 민주노동당을 탈당하고 진보신당에는 입당하지 않은 소수파가 되었다.

2004년에서 2007년 사이는, 시민단체가 집단적으로 생겨나면서 정책능력을 갖춘 활동가들이 대거 등장했던 시기로 1990년대 중 · 후반보다 더 많은 전문가들이 등장했던 시기였다. 《뼛속까지 자유롭고 치맛속까지 정치적인》이라는 에세이집으로 유명해진 목수정이 당시 민주노동당 내에서 문화정책을 담당했던 연구원이었다. 당시 민주노동당 정책연구원들이 만들어낸 최고의 작품은 한·미 FTA 협상 당시 민주노동당이 취했던 공세적 정책분석이었다. 뿐만 아니라 정당들 중에서는 민주노동당이 가장 먼저 황우석 박사의 연구에 문제가 있다는 입장을 취했는데, 그때 〈프레시안〉의 강양구 기자와 함께 스타가 되었던 한재각 역시 민주노동당 정책연구원 중 하나였다. 국감 과정에서 아토피 통계를 제출받아 '아토피 정치'라는 새로운 분야를 제시한 것도 바로 한재각이었다. 이후 수조 원 규모의 '아토피 비즈니스'가 등장하기도 하였는데, 그것을 정치와 정책의 틀에서 처음으로 제기한 것도 민주노동당이었다(당시 초록정치연대에서 아토피 정치에 대한 얘기를 수년간 해오기는 했으나 초록정치연대가 녹색당 창당에 실패했고, 아토피 문제가 사회적으로 환기될 수 있었던 공로는 민주노동당의 것이었다는 게 맞을 것 같다). 아마 '우리'가 이제는 최소한 정책적으로 수권을 할 길이 있을 것이라고, 처음으로 진보 정치의 미래에 희망을 가졌던 것이 그 시절이었을 것이다. 수십 명의 민주노동당 정책연구원들이 그 가능성을 보여주었다.

그 시절 민주노동당의 정책 역량이 강화되는 데에는 처음으로 원내에 진출한 국회의원 보좌관들의 역할이 컸다. 진보 정치에서 가장 유명해진 '부유세' 정책을 제시했던 김정진 변호사, 이제는 부동산 전문가로 더욱 유명해진 손낙구, 그리고 재정 분석의 오건호 등이 그 시절 배출된 스타들이다. 이들은 '특별 당비'라는 당 방침으로 다른 국회의원 보좌관들에 비해 월급에서 좀 손해를 보고 있었는데, 진보 정치의 미래를 끌고 나간다는 점에서 사기만큼은 엄청 높았던 것으로 기억한다.

자신이 속한 그룹이나 출신은 서로 달랐지만, 비유를 들자면 《수호지》에 나오는 '양산박의 영웅들'처럼 각기 자신의 주 전공을 가지고 민주노동당 근처에 전문가들이 모여들던 그런 시절이 한국 정당사에 있었다. 많은 사람들이 이런 걸 지켜본다면 단기간에 대중적 정당성을 얻지는 못해도 최소한 수권 능력에서 국민들에게 의심을 받지 않을 정도의 정책 역량은 우리가 갖추게 되지 않을까, 그런 희망을 가졌던 것이 사실이다.

그렇지만 이들이 정치적 부담감을 느끼지 않고 자유롭게 활동할 수 있게 되기에는, 당 내의 사정이 너무 좋지 않았다. 국회의원 몇 명 있는 작은 정당에서 파벌은 너무 많았고, 그것을 조율할 수 있는 정치적 정당성과 헤게모니를 가지고 있는 조율 그룹은 존재하지 않았다. 그런 몇 년을 보내면서 2004년에 모여들었던 정책연구원들은 한 명씩 떠나가게 되었고, 집단적으로 정책 능력을 갖추자는 최초의 희망은 한명 한명의 개별적 좌절과 함께 사라져 갔다.

2008년 민주노동당이 분당되면서 나도 탈당을 했지만, 진보신당에 입당하지는 않았다. 더 이상 '진보 인사'에 이름을 올리기는 싫다는 생각이 컸다. 목수정은 파리로 떠났고, 손낙구는 대학으로 공부한다고 떠났다. 탈당은 했지만 입당을 하지 않은 전문가 중에 오건호도 있었다. 그렇게 한때 정책적인 의미에서 수권 그룹을 형성하며 대통령 인수위의 각 분야별 담당을 하려던 젊은 연구진들이 뿔뿔이 흩어지게 되었다. 다시 그렇게 모여 새로운 연구를 할 수 있는 상황이 올까? 아무래도 당분간은 어려울 것 같다.

진보 정치 세력 내에서도 장관을 하고 싶어 하는 사람들은 많다. 명망가들은 국회의원과 장관을 원한다고 보면 대개 틀리지 않을 것이다. 그러나 실무를 담당하고 정책을 분석하는 분석관을 자임하는 사람은 별로 없다. 힘들고 머리도 아픈데, 자신을 지키기도 쉽지 않고, 자신이 서 있는 바늘 하나 꽂을 땅도 확보하기가 쉽지 않은 게 정책 전문가들이 한국에서 살아가는 방식이기 때문이다. 목수정이나 오건호 박사를 생각하면, 나도 가슴에 짠한 구석이 좀 생겨난다.

하여튼 당시 최소한 정책 분야에 대한 실무능력과 분석능력만큼은 한국에서 민주노동당의 수준이 가장 높았던 것 같다. 칸막이 없이 많은 연구원들은 매일 토론을 했고, 개별 분야의 전문가들이 서로 정보를 교류하면서 종합 능력이 아주 높아졌다. 지금 와서 돌이켜 생각하면, 정말 한여름 밤의 꿈같은 일이었다. 그러나 여전히 진보 정치가 최소한 정책 분야에서 수권 능력을 유지하고 있다고 할 수 있는 곳이 있다. 그게 바로 오건호 박사가 지키고 있는 공공 재정에 관한 분야다.

재정분석, 누군가는 해야 한다

재정이라는 분야는 경제학 내에서도 스케일과 전문성으로 접근이 쉽지 않은 분야다. 온갖 편법이 난무하는 곳인데, 여기에는 개개의 세입과 세출 항목들이 가지는 역사성들이 있어서 더욱 복잡하다. 개개인의 세금과 관련되어 있어서 지나치게 휘발성이 높기도 하지만, 막상 정신을 차리고 들여다보려고 하면 뭐가 어디에 숨어있는지 잘 알기도 쉽지 않다. 나는 에너지개선특별회계, 주로 '에특'이라고 부르는 예산을 가지고 행정을 했었고 가끔은 환경개선특별회계[환특]에 대한 업무도 했다. 에특에 뭐가 어디 숨어있고 뭐는 어떤 유래가 있는지, 솔직히 전문가라도 잘 알기가 쉽지 않고 담당관이라도 자기가 하는 일 아니면 바로 옆 자리에서 하는 일이라도 잘 알기가 어렵다. 보통 '꼭지'라고 부르는 예산항목의 대분류 밑의 세분류, 그 밑의 세세분류로 들어가서 내용을 살피는 일은 나에게도 고역스러운 일이었다. 민감한 항목들은 세세분류 밑에 살짝 숨겨놓는데, 그렇게 해놓으면 국회나 기획재정부 같은 예산당국에서도 그 내용을 잘 알기 어렵다. 담당관이나 분야 전문가도 잘 모를 정도로 복잡한데, 운동권 출신들이 이런 내용을 이해할 수 있을까?

그 전체적 틀에서 처음으로 종합적인 그림을 그릴 수 있게 된 사람이 바로 이 책의 저자인 오건호 박사다. 그가 이런 일을 할 수 있게 된 첫 출발은 아무래도 경제 분야에서 의원 활동을 하던 심상정 의원의 보좌관이었다는 그의 위치가 도움을 주었을 것이다. 1차 자료를 직접 볼 수 있다면 보고된 자료만으로 상황을 이해하는 것보다는 훨씬 정확하다. 하지만 그 자료들을 꼼꼼히 분류하고 종합적인 내용들을 찾아내는 것은 곤욕스러운 일이다. 한나라당이나 민주당 보좌관들은 많은 경우, 정부 연구소나 산하기관의 전문가들을 불러서 설명을 듣는 조금은 쉽고 빠른 길을 택한다. 합리적인 방식이고 이해도 가는 일이다. 전화번호부만 한 정부 예산서 몇 권을 눈앞에 놓고, 거기에 1차 자료들까지 빽빽하게 책상에 놓고 있으면, 이걸 분석한다는 엄두가 도저히 나지 않을 때가 있다. 그러므로 그걸 담당관이나 전문가들에게 들으면 이해가 훨씬 빠른 것이다. 나 역시 설명하는 일도 꽤 많이 해보고, 그나마도 귀찮다고 '쿠폰 프로젝트'라는 단기 과제 형태로 설명용 보고서를 만드는 일을 한 적도 있다.

하지만 민주노동당은 그런 방식을 선택하기가 어려웠다. 국회의원이라고는 하지만 집권 가능성이라고는 거의 없는 심상정에게 누가 와서 진심으로 성의껏 설명을 해주겠는가? 게다가 워낙 국회의원 숫자도 적은 정당이라 특정 법률의 통과에 거의 아무런 영향력도 행사하기 어려운 상황에서 말이다. 오건호 박사가 국회에서 하던 일들은 그야말로 '맨땅에 헤딩'이라고 해도 틀리지 않을 정도로, 좀 무식하다 싶을 정도로 꼼꼼히 자료들을 살피고 기초 분석부터 다시 하는 일이었다. 그의 작업 결과를 몇 번 볼 기회가 있었는데, '야, 세상에 이런 사람이 다 있구나'하며 놀랄 정도였다.

그러나 땀의 대가는 정직하다. 그렇게 기초분석부터 하는 일을 몇 년을 하고 난 이후, 오건호 박사는 정말로 예산과 재정의 흐름에 대해서 눈을 뜨게 된 것 같다. 심상정이 2008년 총선에서 재선에 실패한 이후, 오건호 박사는 자신의 길을 걸어가게 되었다.

가끔 그 시절을 생각하면, 그렇게 가지게 된 그의 능력과 지식이 사라지게 되는 것 같아 늘 마음 한구석이 편하지 않았다. 정책이라는 게 손을 놓으면 1~2년만 지나도 금방 퇴물이 되기 십상이다. 한때는 나도 한국의 에너지 정책을 총리실에서 총괄하며 어느 곳에서 무슨 일이 벌어지고, 뭐는 어떤 게 문제인지 나름대로 손에 쥐는 듯 알고 있다고 생각했었는데, 현업에서 손을 놓은 지 5년 이상이 되니까 나도 뭐가 뭔지 잘 모르는 상황이 되었다. 그래도 대체적인 흐름은 알고 있지 않느냐고? 기자들 앞에서 잠깐 아는 척 할 수는 있을지 몰라도 실무를 잘 모르는데 흐름을 알고 있을 턱이 없지 않은가?

어쨌든 이 책은 오건호 박사가 자신이 아는 것들을 정리한 첫 번째 책이고, 어쩌면 해당 분야에서는 마지막 책이 될 그런 기념비적인 책이 될 수도 있을 것 같다. 오건호 박사 스스로 연구는 계속하겠지만, 국회에서 1차 자료를 직접 분석할 수 있는 위치에 있지 않기 때문이다. 그렇다고 그가 지난 국회에서 했던 역할을 계승해주는 다른 연구원이나 보좌관이 또 있는 것도 아니다. 딱딱한 얘기일지도 모르지만 자신이 갖게 된 지식을 사회와 공유하겠다는 결심의 결과가 이렇게 등장하는 것을 보면서, 나는 반갑지 않을 수가 없다. 진보진영에서 예산 자체에 대한 전체 프레임을 제시할 수 있는 사람이 등장하지 않을지도 모른다. 이 위에 뭔가 얹어야 하는데, 오건호 박사 스스로가 뭔가 얹지 않으면 당분간은 그런 일은 없을 것 같다.

누군가는 진보 정치에서도 계속해서 재정 프레임에 대한 분석을 해야 하겠지만, 과연 할 수 있을까? 민주노동당? 진보신당? 최소한 정책 분야에서 과거의 영광이 재현되기는 당분간 어려워 보인다.

그러나 이제는, 복지가 대세다

진보 정치가 이렇게 밑바닥부터 헤매고 자신의 능력이 해체되는 아픔을 겪고 있는 동안 사회는 또 많이 변했다. 노무현 정부에서 이명박 정부에 이르기까지 서로 복지 예산을 많이 썼다고 하지만, 그건 착시다. 예를 들면 종합부동산세의 세입은 토건에서 오는데, 지방정부 예산 지원이라고 하면서 세출 역시 토건 쪽으로 잡았다. 지역문화센터와 같은 시설물 건립으로 그 돈을 쓰도록 했는데 크게 보면 토건에서 세입을 만들고, 다시 건물이나 시설물 같은 토건으로 그 돈을 쓰는 방식이다. 그렇게 해놓고 이 돈이 복지 예산이라고 하는데, 우리가 상상하는 진짜 복지로 그 돈은 들어간 적이 없다. 시설물과 건물, 혹은 진입로 같은 도로가 부족해서 복지가 이 모양인가? 한국은 복지에 대한 지출이 너무 적고, 또 가난한 사람들이 더 많이 부담하는 부가가치세와 같은 간접세의 비중이 외국에 비해 상대적으로 높은 편이다. 간단하게 조세 개혁이라는 정도로 해결할 수 없는, 내부 구조적인 문제들이 있다. 구조의 눈으로 본다면 감세나 증세, 두 가지 모두 아무 얘기나 하지 않은 것과 같다. 교과서에 나오는 조세의 역진성과 누진성 같은 평범한 기준들도 잘 얘기되지 않는 것이 우리 현실이다.

그러나 사회가 변했다. 나 역시 조세정책과 정부정책에 대해서 몇 년 동안 유사한 얘기를 하는데, 5년 전과 비교하면 분명히 현격한 온도 차이가 느껴진다. 이유를 따지자면, 국민 내의 경제적 격차가 커지면서 중산층이라고 스스로 믿는 사람들도 복지에 대한 중요성을 실감하게 되기 때문이다. '경쟁'을 통해서 스스로를 구원할 수 있다고 믿던 중산층들도 요즘은 복지라는 개념 자체를 즉각적으로 거부하지 않는 것 같다. 무상급식 같은 경우가 대표적인 복지정책이다.

흐름의 변화라는 눈으로 본다면, 클린턴 이후로 노무현 정부까지 복지를 지배하던 '생산적 복지'라는 틀에서 '보편적 복지'라는 틀로 정책의 기조가 미묘하게 변동하는 것이 요즘의 대세다. 생산적 복지는 일하는 사람에게는 더 많은 복지를 주겠지만, 게으른 사람들에게는 아무 것도 줄 수 없다는 것이라고 할 수 있다. 그러나 실업률이 증가하고 장애인 문제나 젠더 문제 등이 사회적 논의의 앞으로 나오면서, 일할 수 없는 사람들 그리고 일하고 싶은데 일자리가 없는 사람들은 어쩌라는 말이냐고 사회적 논조가 이동하는 중이다.

현장에서 일반인들과 만나서 복지에 관한 얘기들을 나누다보면, 정말로 온도감이 바뀌었고, 전문용어로 복지정책에 대한 국민들의 '수용성' 자체가 높아진 것을 피부로 느낄 수 있다. 복지에는 유행이 없이 언제나 "국민에게 더 많은 복지를!", 이런 같은 구호가 반복될 것 같지만 세상 모든 일이 다 그렇듯이 여기에도 유행이 있고, 시기별로 복지 패턴에 대한 변화라는 게 등장한다. 요즘은 복지의 중요성에 대한 강조 그리고 보편적 복지라는 개념이 유행이다.

한국 경제에 위기가 점점 심화되면서 당분간 이런 경향성은 더욱 강화될 것 같다. 그리고 이런 흐름이 '선진국'으로 한국 경제를 전환시킬 것이라는 게 나의 믿음이기도 하다. 어쩌면 오건호 박사나 심상정 전 의원의 복지 프레임은 시대를 너무 앞서 나간 것이 아닐까 싶기도 하다. 그들이 만약 지금 국회의원이고 보좌관이었다면, 9시 뉴스의 메인타이틀을 장식하는 스타가 되었을지도 모르는 일이다. 그들의 시대가 너무 빨랐던 것일까?

위기, 그리고 진보의 부활

"자, 그러니까 당신이 하고 싶은 말을 한마디로 얘기해 봐."

이런 소리를 정책 담당자로서 듣자마자, 내가 제일 하고 싶은 건 소주병으로 머리를 한 대 때려주는 일이다. 국회의원, 장관, 청와대 고위직, 심지어 기자와 PD들마저 '한마디'로 얘기를 해보라는 말을 종종 한다. 한마디로 모든 걸 설명하고 정리할 그런 기가 막힌 능력이 있으면, 내가 이 모양 이 꼴로 죽지 못해 살아가는 삶을 살겠어?

예전에는 나도 먹고 살아야 하니까 꾹 참고 조용조용히 설명을 다시 한번 시도하고, 이해할 수 있게 말을 하려고 했었다. 요즘은 누군가 '한마디로'라고 말하면, 나는 팽 돌아서서 그냥 집에 와 버린다.

"제 책 보세요."

사실 내가 할 얘기들은 어느 정도는 책에 정리를 해놓았고, 요즘은 정부 내에서 전문가나 담당자로 일하는 것도 아니기 때문에, 누군가 힘 있다고 간단하게 핵심만 말하라고 하면 나는 그냥 집에 와 버린다. 나는 책을 통해서 국민, 청년, 여성들과 대화하는 편을 선택했기 때문에 굳이 높은 지위에 있는 사람이라고 해서 '요약본'을 만들어줄 어떤 필요도 느끼지 않는다.

이런 얘기들은 오건호 박사의 책에도 유효할 것 같다. 지금부터 짧으면 3년, 길면 10년 안에 한국의 많은 지자체와 공기업들은 재정파탄에 의한 '디폴트 Default', 즉 채무불이행 위기에서 위태로운 줄타기를 하게 될 것 같다. 세입은 감세로 포기했고 국민들의 실질 소득이 감소했으니 들어온 돈은 적은데, 중앙정부든 지방정부든 지난 수년 동안 벌려놓은 토건사업으로 세출은 잔뜩 늘어난 상황이다. 그 격차가 점점 더 커질 것이니 재정위기가 벌어지는데, 살림살이가 어려워진 국민들의 복지 예산에 대한 정책적 수요는 더욱 높아질 것이다. 세입 관리와 세출 정책이 모두 필요한데, 한국의 지배층들은 대충 자기들 필요한 것만 입맛에 맞춰 놓거나 득표 전략을 수립한 것 외에는 해놓은 게 없다고 할 수 있다.

그 위기의 시대는 짧으면 6개월, 길면 1년 내에 격발될 것인데, 많은 사람들은 단기처방과 함께 '족집게 과외'처럼 사태의 핵심을 관통하는 간단한 설명을 요구할 것이다. 그러나 그런 간단한 설명은, 해줄 수는 있지만 '아무 얘기도 안 해준 상황'과 마찬가지일 수 있다. 정책에는 복잡한 맥락과 역사성이 있어서 그런데, 재정의 경우는 그게 국가의 종합 시스템에 해당하는 얘기이기 때문에 간단하게 핵심만을 설명하는 것이 아예 불가능한 경우가 많다. 물론 이렇게 말해줄 수는 있다.

"진보가 정권을 잡으면 해결이 된다."

다른 건 모르겠지만, 국가의 재정과 세출과 관련해서는 진보 정치가 이미 수권 능력을 어느 정도 갖춘 상태이고, 한나라당도 못하고 민주당도 못하는 조세의 기본에 해당하는 것은 다시 갖출 수 있다고 생각한다. 그러나 그 얘기를 들으면, 많은 국민들은 또 허탈해할 것이다. 진보 정치가 다음 대선은 물론이고 당분간 정치의 메인 스트림이 되어서 대규모로 국회의원들을 배출하면서 실제로 집권하기 어렵다는 것은 당신도 알고, 나도 알고, 우리 모두 아는 일 아닌가?

오건호 박사의 《대한민국 금고를 열다》는 한국에서 가장 쉽고 종합적인 재정 문제에 대한 분석서이며 동시에 정책 입문서이기도 하다. 심상정과 함께 진보 정치가 경제정책에서 가장 화려한 역할을 하던 시절에 우리가 알게 된 것들에 대한 종합적 기록이며, 최소한 한 분야에서는 수권 능력을 갖추었던 한 정치집단이 다른 시대로 전환하면서 남기는 비망록과 같은 것이기도 하다.

국가가 뭔가 이상하다고 느꼈을 때, 아니면 재정적으로 큰 위기라고 아우성칠 때, 이 분야 최고의 전문가가 자신이 아는 거의 모든 것을 정리한 이 책을 한번 손에 집어 드시기를 권유한다.

더 많은 국민이 국가재정에 대해서 이해하고, 복지라는 것이 작동하는 메커니즘에 대해서 고민하기 시작할 때, 내 장담한다. 진보 정치는 그날 부활할 것이고, 조세 개혁을 통한 '보편적 복지'를 기본 정책으로 삼아 진보 정치가 집권하는 날이 올 것이다. 우리가 다른 분야는 좀 약해도, 오건호 박사 이후로, 재정과 복지 분야에서는, 디테일에도 강하다.

책을 펴내며

나는 6년 전인 2004년에 처음으로 '국가재정'을 접했다. 민주노동당의 원내 진출 덕택에 재정경제위원회 보좌관으로 일하면서 국가재정을 알게 됐다. 당시 노무현 정부는 국가재정의 기본 체계를 근본적으로 바꾸기 위해 국가재정법 제정안을 국회에 제출했다. 여 · 야가 2년 동안 국가재정법을 두고 공방을 벌였고, 덕분에 나는 '나라살림 구조'를 조금씩 살펴볼 수 있었다.

처음에 새로운 것을 배우느라 정신이 없었지만 시간이 지나서는 문득 내 자신이 부끄러워졌다. 스스로 진보 활동가라며 정부를 상대로 이런저런 요구를 해왔지만, 내가 아는 대한민국은 참 작았다는 것을 느꼈다. 미래 세상을 향한 포부는 컸지만 실제 그곳이 어떤 곳인지, 어떻게 움직이는지는 통 모르고 있었던 것이다. 진보정당이 당 내부에 집권전략위원회를 만들지언정 국정을 운영하겠다는 권력의지를 가진 적이 있었는지 의문도 들었다.

국회 활동을 마치면서 언제 한번 꼭 국가재정을 '총정리' 해보겠다고 다짐했다. 나를 위해서 배운 걸 체계적으로 다듬는 일이었고, 동료들에게도 알려주기 위해서였다. 내가 처음 국가재정을 접하면서 '놀란 것'처럼, 나에게 국가재정 이야기를 듣는 동료들도 역시 눈을 반짝거렸다. 정부를 상대로 활동을 벌여왔지만, 실제 정부가 통치를 하는 과정인 나라살림에는 익숙하지 않았기 때문이다. 내가 주로 강연을 하는 사회공공성, 사회복지, 민영화 등의 주제와 비교하면 국가재정을 주제로 한 강연은 항상 '성공'적 이었다. 처음 접하는 '지식과 정보'가 있기 때문이다.

2008년 민주노총 산하 공공노조 부설 '사회공공연구소'에서 일하기 시작하면서 처음 잡은 연구 주제가 '국가재정'이었다. 연구소가 제공하는 집필 여건 덕택에 2009년 7월 〈진보의 눈으로 국가재정 들여다보기〉라는 작은 보고서를 낼 수 있었다. 하지만 숙제를 마무리했다는 뿌듯함보다는 아쉬움이 컸다. 보고서 시한에 쫓기면서 방대한 영역을 다루다 보니 내용이 복잡하고 서술이 딱딱했다. 과연

이 보고서가 동료들에게 얼마나 도움을 줄 수 있을지 자신이 서지 않았다.

이에 대중적 용어로 국가재정을 새로 쓰자 마음먹었다. 〈레디앙〉을 찾아가 "국가재정 들여다보기" 연재 코너를 달라고 부탁했다. 이래야만 다른 과제들에 밀리지 않고 국가재정 풀어쓰기를 완수할 수 있을 테니 말이다. 감사하게도 흔쾌히 지면을 허락해 주었고, 2010년 4월까지 총 22회에 걸쳐 연재를 마칠 수 있었다. 이 책은 〈레디앙〉에 연재했던 글을 단행본 체계에 따라 재구성한 것으로 일부 수치는 보완 및 수정했고 문맥은 다시 부드럽게 다듬었다.

어느새 완성된 책을 보면서 많은 분들의 얼굴이 떠오른다. 우선 국회 재정경제위원회에서 활동하면서 항상 따뜻한 격려와 날카로운 질문으로 '경제 초보자' 보좌관에게 공부의 동기를 부여해 준 심상정 전 의원에게 감사를 드린다. 우연한 계기로 그의 보좌관이 되었는데 세상을 크게 보는 정치인을 알게 된 건 참 행운

중 행운이다. 단병호 전 민주노총 위원장은 내 활동의 사표이다. 사실 박사학위를 마치고 민주노총 정책실에 지원서를 내게 한 중요한 힘이 그였다.

의원실에서 함께 일했던 동지들이 종종 그립다. 집 없는 서민의 애환을 풀겠다며 주거 관련 통계치를 하나둘씩 모으던 손낙구 선배는 어느새 부동산 전문가로 새로운 진보 활동가의 역할 모델을 만들었고 지금은 한국노동운동사를 재조명하겠다며 박사과정 학생으로 도서관에 앉아있다. 오진아는 2010년 6월 지방선거에 구의원으로 출마해 서울에서 한나라당, 민주당 후보를 제치고 당당히 1등을 했다. "내가 당선만 되면 대한민국 최고 구의원이 될 자신이 있는데…"라며 의욕을 불태웠는데 정말 기대가 크다. 의원실에서 함께 일했던 임수강 선배와 김정희, 김재홍에게도 고마움을 전한다. 너무 감사글이 길어지고 있다는 편집부의 질타에 이름만 적는 걸 용서해 주시기 바란다.

국가재정 공부를 하면서 많은 분들의 도움을 받았다. 특히 예산 관련 공공연구기관에서 일하는 전문가들의 지원이 없었더라면 이렇게 책을 낼 생각은 엄두도 내지 못했을 것이다. 그분들의 성함을 일일이 밝히지 못하는 것이 정말 아쉽다.

이렇게 책을 낼 수 있었던 데에는 '사회공공연구소'라는 안정된 공간의 덕택이 컸다. 이명박 정부 들어 불어닥친 압력에 많은 노동사회 연구단체들이 재정의 어려움을 겪고 있다. 매달 들어오는 월급을 받으면서 연구 작업을 할 수 있다는 게 얼마나 소중한 것인지 나는 잘 알고 있다. 항상 기대와 후원을 아끼지 않으시는 공공노조 이상무 위원장님, 강수돌 연구소장님, 그리고 연구소 식구들에게 감사를 드린다.

〈레디앙〉 식구들도 이 책이 나올 수 있도록 배려와 인내를 아끼지 않았다. 이정신 님은 책의 편집뿐만 아니라 거친 초고를 독자의 눈으로 꼼꼼히 챙겨주었다. 편집장 이광호 선배는 항상 따뜻한 조언과 격려로 나를 항상 든든하게 만들어 주는 분이다. 이 책이 선배의 기대에 얼마나 부응할지는 모르겠으나 나름대로 최선을 다했음을 알아주리라 믿는다. 우석훈 박사에게도 고마움을 전한다. 마음 속 이야기를 담은, 나에겐 과분한 추천사를 주었다. 아무쪼록 많은 분들의 도움으로 만들어진 이 책이 진보적 시민과 활동가들이 국가재정을 이해하는 데 조금이나마 도움이 되기를 바란다.

2010년 10월

오 건 호

차례

4부 국가재정을 둘러싼 주요 논점

5부 결론: 대한민국 금고 재설계 하기

들어가는 글

왜 국가재정인가?

노무현 전 대통령이 《진보의 미래》에서 자신이 이루지 못한 진보주의의 꿈을 다시 그리며 묻는다. "보수의 나라, 진보의 나라는 어떤 모양일까?" 그리고 대답한다. "모든 길은 로마로 통한다. 모든 정책은 재정으로 통한다. 그 중에서도 복지비의 비율이다. OECD 국가를 재정의 크기 순으로 나열하면 보수의 나라와 진보의 나라 스펙트럼이 나온다"라고.

그는 임기 내내 국가재정에 큰 관심을 보였다. 아마도 그는 경제 권력은 이미 시장에 넘어갔다고 여겼기 때문에 정부에게 주어진 유일한 경제정책 수단인 재정에 애착을 가졌는지 모르겠다. 어찌되었든 그는 국가재정법을 제정하고 재정운용에 전략 개념을 도입하는 재정체계 개혁에 앞장섰다. 이 책이 다루는 국가재정을 재정답게 만든 그의 공은 인정할 만하다.

사실 오랫동안 한국에서 국가재정은 정치의 중심보다는 주변에 머물러 왔다. 이는 국가재정이 나름의 역할을 다하고 있었기 때문이 아니라 반대로 자신의 존재 의의를 보여주지 못해 관심에서 비껴있었기 때문이다. 시민들은 국가재정을 사실상 정부와 공무원들이 독점하는 권위주의 체제의 부속물로 여겨왔다. '엉성하게 걷고 허튼 데 쓰는' 이 돈에 대한 기대를 버렸던 것이다. 진보운동 역시 국가재정에 대한 종합적 인식을 지니지 못한 것은 마찬가지였다. 국가재정의 구조·규모·운용 방향 등에 대한 토론이 거의 없었고, 정기국회 예산 심의 때도 전체 국가재정을 다루기보다는 복지 분야에 관심을 표하는 수준에 머물러 왔다.

그런데 한국에서 국가재정이 쟁점으로 부각되지 않는 것은 보수와 진보에게 다른 정치적 함의를 갖는다. 한국의 취약한 국가재정은 작은 정부를 지향하는 보수 세력에게 넓은 시장을 보장해 주고 조세 부담을 덜어주지만, 국가재정의 공공성을 강조하는 진보 세력에겐 그만큼 활동 공간을 위축시킨다.

다행히 근래 한국사회에서 국가재정에 대한 관심이 커지고 있다. 이명박 정부는 '부자 감세'로 반서민성을 노골적으로 드러내고, '4대강 사업'을 강행해 재정 지출에 대한 시민들의 불신을 키우고 있다. 게다가 재정수지가 악화되면서 재정 건전성 문제까지 부상했다. 국가재정이 국민들에게 근심거리로 떠오르면서 생긴 관심이라 반길 수만은 없는 일이지만, 중요한 의제가 이제 자기 자리를 찾아가고 있다는 점에선 전향적인 일이다.

시장 만능주의 시대에도 자기 자리를 지킨 국가재정

국가재정에 대한 관심은 세계적인 흐름이기도 하다. 1980년대 이후 시장 만능주의 공세가 거세지면서 국가의 역할이 상당 부문 시장권력으로 대체되어 왔다. 국민경제 발전을 추동한다는 산업정책은 초국적 자본과 재벌 대기업의 투자력에 밀리고 있다. 공평한 경제발전을 위한 게임 룰인 규제정책도 거센 국제 경쟁을 이기지 못하고 하나씩 풀려 왔다. 국민경제 안정에 기여해야 할 금융정책도 불안정한 국제금융의 희생자로 전락했다. 이는 국가의 역할을 기대했던 사람들에게는 국가의 후퇴로, 애초 국가에 대해 비판적이었던 사람들에게는 국가가 자신의 분수에 맞게 제자리를 찾아가는 것으로 보일 것이다.

그런데 산업 · 규제 · 금융 · 재정 등 국가의 여러 역할 중 유독 자신의 지위를 지키고 있는 것이 재정이다. 국가재정은 제2차 세계대전 이후 사회민주주의 세력이 집권한 서구에서 공공부문 경제와 사회복지가 확대되면서 강화되어 왔다. 특히 케인스주의 경제학이 자리 잡으면서 국가재정은 공공서비스 일자리, 소득 재분배, 내수경제 활성화 등 경제 선순환에 기여하는 토대가 됐다.

1980년대 이후 30년간 시장 만능주의가 위력을 발휘한 시대에도 국가재정의 규모는 큰 변화가 없었다. OECD 회원국 평균 수치를 보면 조세부담률은 GDP 25% 안팎, 조세와 사회보장기여금을 합친 국민부담률은 GDP 35% 안팎의 안정적 추세를 보이고 있다. 정부총지출도 GDP 대비 40% 수준을 지탱하고 있고, 이 중 공공복지지출public social expenditure이 정부총지출 규모의 절반인 GDP 20% 정도를 계속 차지하고 있다. 시장 만능주의가 국가의 산업 · 규제 · 금융정책을 축소시켜 왔지만, 국가재정의 규모와 역할에는 큰 영향을 주지 못하는 것이다. 이는 수입과 지출을 둘러싸고 계급적 이해관계가 구축되어 있어 국가재정 구조가 쉽사리 변하지 않는다는 점을 시사한다. 최근에는 경제위기를 맞아 각국 정부가 서민경제 육성을 위해 재정 확장에 적극적으로 나서고 있다. 오히려 국가재정의 역할이 더욱 중요해지고 있는 모습이다.

특히 국가채무로 인해 불거진 재정건전성 논란 덕택에 국가재정은 앞으로 한층 더 관심거리가 될 것이다. 한국은 2009년 GDP 4.1%에 해당하는 43조 원의 재정 적자를 기록했고, 2011년 역시 약 25조 원의 적자가 예상되고 있다. 유럽 국가들에 비하면 재정 적자의 폭이 크진 않지만 한국은 전통적으로 균형재정 원칙을 강하게 지켜왔기 때문에 재정 적자 체감도가 높고, 이 적자의 상당액이 금융위기에 따른 재정 지출이 아닌 2008년 부자 감세에 의해 초래되었다는 점에서 '정치적' 성격을 띠고 있다.

사실 재정건전성 의제는 보수와 진보 모두에게 양날의 칼이다. 국가권력을 쥔 보수 세력은 국가관리 능력을 의심받을 수 있고, 진보 세력 역시 '작은 정부론'의 포화를 맞을 수 있다. 현재로선 이명박 정부가 재정건전성 의제를 이용해 공세를 취하는 형국이다. 이명박 정부는 재정 적자를 이유로 민생 예산을 줄이려 한다. 이는 전통적으로 국가재정 확충을 주창해 왔던 진보운동에게 새로운 도전이다. 앞으로 재정건전성을 둘러싼 치열한 '계급 정치'가 전개될 것이다.

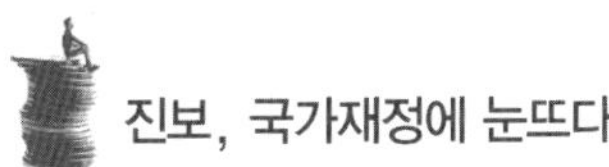

진보, 국가재정에 눈뜨다

필자가 오랫동안 인연을 맺었던 '노동조합기업경영연구소(노기연)'라는 진보적 노동연구단체가 있다. 1991년에 설립된 노기연은 2009년에 18세 성년을 맞으며

해산되는 운명을 맞았다. 지금이야 '노동운동 위기' 이야기에 이골이 나지만 노기연이 출범하던 1990년대 초반은 '87년' 이후 처음으로 '위기'라는 단어가 등장했던 때다. 당시 노동조합 건설을 지원하고 현안을 상담하던 노동단체들은 자신의 역할을 잃어갔다. 노동조합 설립을 위한 제도화가 시작되었고, 웬만한 상담 현안은 노동조합 스스로 소화해 나갔기 때문이다.

이 때 노기연이 새로운 의제를 던지며 등장했다. '민주노조 구호'만으로 노동운동을 벌이는 시대는 지났고, 임금단체협약(임단협) 교섭에서 승리하기 위해선 사용자의 논리를 분석해야 하며 그 출발이 기업경영 분석이라는 것이다. 노기연의 판단은 적절했다. 노기연 연구원들은 쏟아지는 요청에 쉴 틈도 없이 수많은 기업경영 자료를 분석해야 했고, 이를 기초로 노동조합들과 긴밀한 관계를 맺어갔다.

그런데 노동단체의 새로운 모델로 인정받던 이 연구소마저 문을 닫았다. 노동조합마다 기업경영 분석에 어느 정도 익숙해졌고, 임단협 교섭도 관행화되었기 때문이다. 게다가 기업별로 이루어지는 임단협이 오히려 기업 간 격차를 구조화하는 의도하지 않는 역풍을 일으키고 있다. 기업별 단위의 활동으로 귀결되는 기업경영 분석으로는 운동성을 확보하기 어렵게 된 것이다.

기업별 노동운동의 한계는 노동자가 먹고사는 현실에서도 드러난다. 필자가 OECD 통계치를 재구성해 추정해 보니 2000년대 중반 한국의 사회임금 비중이 7.9%에 불과했다. '사회임금'이란 전체 가구운영비에서 보육비 · 노령연금 · 건강보험 적용 · 주거 수당 등 국가 부문으로부터 얻는 소득을 말한다. 가계운영비에서 사회임금이 클수록 그 가계는 기업으로부터 받는 시장임금에 상대적으로 덜 의존할 수 있다(오건호 2009).

한국이 가입한 OECD 국가의 평균 사회임금은 한국의 네 배인 31.9%이다. 스웨덴의 사회임금은 48.5%로 전체 가계운영비의 절반에 육박한다. 이는 가구 평균 수치이므로 하위계층 가구의 사회임금 비중은 절반을 훨씬 넘을 것이다. 그만큼 스웨덴 노동자들은 노동시장에서 위험에 처하더라도 기본적 생활을 영위할 수 있는 안전장치를 가지고 있다. 반면 시장임금으로만 살아야하는 한국의 노동자들은 구조조정에 목숨을 걸어야 하고, 평상시에도 장시간 노동을 해야 한다.

〈그림1〉 2000년대 중반 국가별 가계운영비 중 사회임금의 비중

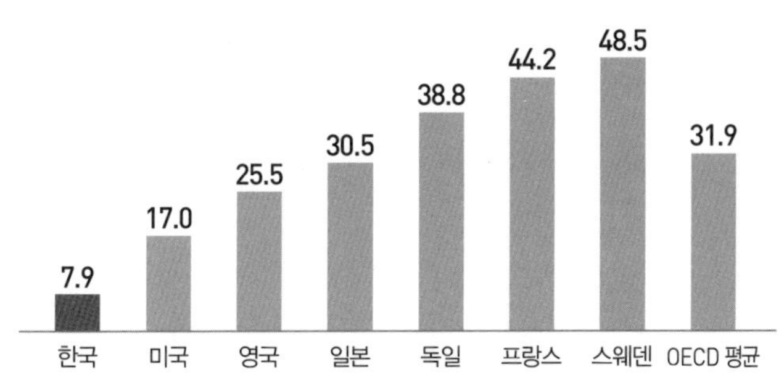

출처: 오건호(2009), 〈한국의 사회임금은 얼마인가?〉.

기업경영 분석으로 노동운동을 추동하는 시대는 지났다. 노동자들은 시장임금에 모든 것을 맡겨야 하는 삶에서 벗어나야 한다. 2009년에 민주노총 산하의 금속노조에서 일하는 상근활동가 조건준 씨가 《아빠는 현금인출기가 아니야》라는 책을 펴냈다. 오랫동안 노동 현장에서 잔뼈가 굵어온 이 중년 활동가는 노동운동에게 공장 밖으로 나가라고 주문한다. 개별임금의 인상, 기업복지의 요구를

넘어 '사회적 힘'을 얻어야 한다는 것이다.

> "노조에서 경영 분석은 일상적으로 진행된다. 임금 인상을 위해 근거를 만들기 위해서다. 그러나 이제는 경영 분석이 아닌 재정 분석으로 넘어가야 한다. 지자체의 눈먼 돈, 정부의 눈먼 예산에 대한 분석과 저항을 조직해야한다."(119쪽)

그렇다. 노동운동이 국가재정을 본격적으로 다루어야 할 때다. 노동자들이 노동조합 설립 권리를 쟁취하는 것이 과제이던 때도 있었고, 기업경영 분석을 통해 임금협상을 대비하던 때도 있었다. 이러한 과제들이 사라진 것은 아니지만 전체 노동운동이 다루어야 할 의제가 개별기업의 시장임금에서 전체 노동자의 사회임금으로 옮겨가고 있다. 사회임금은 세금과 보험료로 공적 재원을 마련하고 다양한 사회적 경로를 통해 급여를 지급한다. 이 과정에서 재원을 누가 부담할 것인지, 누구에게 급여를 제공할 것인지를 둘러싸고 이해갈등이 발생한다. 결국 국가재정을 어떻게 마련하고 어떤 방식으로 사용할 것인가의 문제다.

국가재정, 제대로 다루어야 하는 이유

이명박 정부의 '부자 감세'와 '4대강 사업'으로 시민사회에서도 국가재정에 대한 관심이 커지고 있다. 2009년 하반기에 주요 시민사회단체와 싱크탱크들은

'2010 민생예산네트워크'를 결성해 이명박 정부의 예산안에 대응하는 활동을 벌였고, 2010년 봄에는 예산운동을 전문으로 하는 '좋은예산센터'가 발족했다.

이제 진보 진영이 국가재정을 제대로 다루어야 할 때다. 국가재정이 진보운동에게 주는 의미를 꼽아보자.

첫째, 국가재정은 국가정책이 담고 있는 계층적 성격을 가장 투명하게 보여준다. 정부는 재정의 수입과 지출을 통해 자신이 추구하는 정책 목표를 달성하려 한다. 이 때 누가 얼마를 내고, 어디에 이 돈을 사용하느냐를 둘러싸고 계층마다 이해관계가 선명하게 갈린다. 이명박 정부가 아무리 서민을 위한다고 말해도 감세가 강행되는 한 '부자 정부' 비판에서 벗어날 수 없고, 복지 지출이 지금처럼 빈약한 상황에서 누구도 '서민 정부'를 자칭할 수 없다. 국가재정은 시민들에게 국가정책을 있는 그대로 인식하게 해주는 중요한 경로다.

둘째, 국가재정은 사회공공적 인프라를 확충하기 위한 재정적 기반이다. 진보운동이 사회공공성 강화를 외친다면 그것의 현실화 여부는 궁극적으로 국가재정의 확보에 달려 있다. 무상급식 · 무상보육 · 건강보험 보장성 강화 등 어느 것이든 국가재정을 필요로 한다. 근래 부상한 '무상급식' 논란도 한편에선 보편 복지에 대한 기본 철학의 차이를 반영하지만, 사용할 수 있는 공공재정에 대한 판단 차이가 담겨있다. 국가재정에 대한 관심은 사회공공성 요구를 현실화 하는 데 기여할 것이다.

셋째, 국가재정은 진보운동 세력의 미래 집권을 향한 훈련장이다. 진정 권력을 얻고자 하는 세력이라면 국가재정에 대한 총체적 인식과 운영 전략을 지녀야 한다. 지금까지 진보 세력은 집권하겠다는 권력의지도 부족했고, 사실상 집권

이후 지속가능한 국정 운영의 모습도 상상하지 않았다. 국가재정 활동을 통해 국정 운영을 연습해야 한다. 지방자치단체별로 이루어질 지방재정에 대한 훈련도 역시 중요하다.

개인이든 시민단체든 노동조합이든 자신이 사는 나라를 들여다보고 미래의 꿈을 키우고 싶다면, 국가재정을 알아야 한다. 재정을 알아야 나라가 보인다.

1부

국가재정 입문을 위한 기본기 다지기

1
장

국가재정 삼총사: 일반회계, 특별회계, 기금

국가재정은 공적 주체가 운용하는 돈이다. 국제 기준을 엄격히 적용하면 중앙정부, 지방정부, 비영리 공공기관의 수입과 지출이 여기에 속한다. 그런데 한국사회에선 종종 국가재정이 중앙정부의 재정으로 이해된다. 실제로 현행 국가재정법이 다루는 대상 역시 중앙정부 재정이다. 이 책에서도 중앙정부를 중심으로 국가재정을 살펴볼 것이다. 우선 국가재정 입문을 위한 기본기 다지기로 국가재정을 구성하는 금고 삼총사인 일반회계, 특별회계, 기금에 대해 살펴보자.

중앙정부 재정의 구성: 일반회계 · 특별회계 · 기금

다음 〈그림2〉에서 보듯이, 2010년 중앙정부의 재정에는 일반회계 1개, 특별회계 18개, 기금 63개가 있다. 2010년 정부총지출 292조 8,000억 원이 총 82개의 금고에서 관리되고 있다는 의미다. 이 중 일반회계와 특별회계를 합쳐 '예산'이라 부르고, 여기에 '기금'이 더해지면 '정부총지출'이 된다.

〈그림2〉 중앙정부의 재정 구성

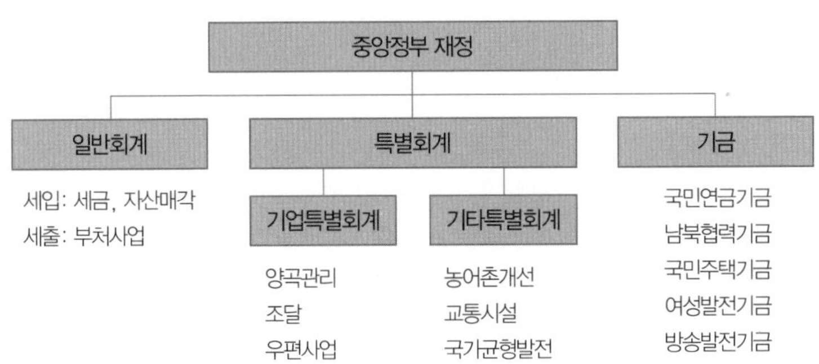

첫째, 일반회계는 중앙정부의 일반적 사업을 담당하는 국가재정의 맏형이다. 재원은 주로 소득세, 법인세, 부가가치세 등 국세 수입으로 마련되지만 일부는 공기업 매각, 수수료 등 세외 수입으로 조성된다. 일반회계에서 주로 다루어지는 쟁점은 수입에선 '얼마를 걷고(조세부담률), 어떻게 거두냐(직접세/간접세)', 지출에선 '어디에 쓰이고(지출구조), 어떻게 관리되느냐(예산관리)'에 있다. 한국사회의 경우 수입에선 조세부담률이 낮고 직접세 수입이 적다. 지출에선 사회복지가 취약하고 '눈 먼 돈'으로 불릴 만큼 예산 관리가 부실하다는 말을 들어왔다. 그리 칭찬할 만한 금고가 못 된다.

2008년부터 이명박 정부가 집권했던 기간은 어땠을까? 수입에선 조세부담률이 더 낮아졌고, 소득세 · 법인세 등 직접세도 낮아졌다. 지출에서도 사회복지 분야에서 큰 진전이 없고, 4대강 사업은 예비타당성 조사 없이 막무가내로 추진되고 있다. 나라의 재정이 거꾸로 가고 있는 것이다.

둘째, 특별회계는 특정한 사업을 목적으로 하는 예산이다. 돈에 꼬리표가 없는 일반회계와 달리 사용처가 미리 정해진 금고다. 따라서 정책적, 정치적으로 따로 관리해야할 사업의 경우 특별회계로 관리된다. 예를 들어 농어촌 지역의 구조개선을 위해 농림수산식품부에는 농어촌구조개선특별회계가 있고, 교통시설투자 재원을 확보하기 위해 국토해양부에 교통시설특별회계가 있으며, 주한미군 기지 이전에 따른 주변지역 지원을 위해 국방부에는 주한미국기지이전특별회계가 설치돼 있다.

특별회계 수입원은 다양한데 가장 중심을 이루는 것이 일반회계 전입금이다. 특별회계가 일반회계 사업을 위임받은 것이기에 일반회계 재정이 지원되는 것이다. 독자적인 목적세 수입을 가진 특별회계도 있다. 예를 들어 농어촌구조개선특별회계는 농어촌특별세, 교통시설특별회계는 교통에너지환경세로 재원을 마련한다. 일부 특별회계는 사업을 펼치는 과정에서 수입(수수료, 부담금)을 얻기도 한다. 예를 들어 국가균형발전특별회계는 개발제한구역 훼손부담금을 거두어 재원을 보존한다.

특별회계 중 진보 진영이 눈여겨보아야할 것이 '기업특별회계'다. 전체 특별회계 18개 중 5개에 달하는 기업특별회계는 조달특별회계(조달청), 우체금예금특별회계(우정사업본부) 등 '기업형태'의 정부사업에 설치된다. 해당기관은 기업특별회계를 통해 예산재량권을 부여받는 대신 재정자립을 달성하는 책임을 진다. 공적 역할을 수행하지만 시장의 기업처럼 운영하라는 명령을 받은 것이다.

기업특별회계 중 특히 주목해야할 것이 '책임운영기관특별회계'다. 정부는 일부 정부기관을 사실상 기업으로 여겨 '기업형' 책임운영기관으로 명명하고, 이 조직에 재정자율성이라는 권한과 책임을 부여한다. 현재 국립중앙극장, 운전면허시험관리단, 국립의료원, 경찰병원, 국립자연휴양림관리소 등 15개 부처 총 39개 정부기관이 여기에 속한다. 책임운영기관특별회계가 초래하는 결과는 무엇일까? 정부의 입장에서는 국가예산을 줄이는 효과를 거두겠지만, 정부기관이 제공해야 할 본연의 공공서비스는 훼손될 것이다. 책임운영기관특별회계가 공공부문 상업화의 주요 수단으로 작용하고 있는 셈이다.

셋째, 기금은 예산에 속하는 일반회계, 특별회계에 비해 다소 성격이 다른 막내 동생이다. 기금 역시 특정한 목적을 위하여 자금을 조성한다는 점에서 특별회계와 유사하지만 수입 구조, 지출 구조, 지배 구조 등에서 일부 다른 특성을 지닌 금고다.

기금은 일반회계와 특별회계가 조세 수입에 의존하는 것에 비해 출연금, 부담금 등의 형태로 재원을 마련한다. 기금 역시 수입은 정부출연금에 일부 의존하지만 상대적으로 독자적인 세외 재원을 가지는 경우가 많다. 예를 들어 국민연금기금 · 고용보험기금 등 사회보험성 기금은 보험료로 기금을 조성하고, 국민건강증진기금은 담배 1갑당 부과되는 354원의 담배부담금이 세입원이며, 주택건설 및 임대사업에 사용되는 국민주택기금의 주요 재원은 주택채권이다.

기금은 국회 통제를 엄격히 받아야 하는 예산(일반회계, 특별회계)과 비교해 지출에서 다소 재량권을 가지고 있다. 현재 신용보증기금 · 수출보증기금 등 금융성 기금은 기금운용금액 중 30%, 국민주택기금 · 고용보험기금 등 일반 기금은 20% 이내에서 국회 심의 없이 지출을 변경할 수 있다. 기금은 예산과 달리 경제 상황에 신축적으로 대응해야 한다는 이유에서다. 예를 들어 국민주택기금은 주택시장, 고용보험기금은 노동시장의 변화에 대처해야 하고, 신용보험기금 · 수출보험기금 등 금융성 기금은 금융시장 변화를 감안해 운용되어야 한다는 것이다.

기금은 지배 구조에서도 다른 점을 지닌다. 기금은 자신의 특성에 따라 이해관계자들이 참여할 수 있는 여지를 가지고 있다. 현재 국민연금기금 · 고용보험기금 등 사회보장성 기금에는 가입자 대표들이 의사결정구조에 참여하고 있다. 시민사회운동이 강력해지면 행정부가 사실상 관장하고 있는 방송발전기금 · 여성발전기금 등에도 사회구성원들이 참여할 수 있을 것이다.

〈표1〉 예산과 기금의 비교

구분	예산		기금
	일반회계	특별회계	
설치 사유	일반 재정활동	특정한 사용 목적	특정 목적 위해 특정 자금 운용
재원 조달	조세수입과 세외수입	일반회계과 기금 방식 혼합	출연금, 부담금 등 수입
수입·지출 연계	연계 없음	연계	연계
관리 재량권	엄격 통제	엄격 통제	기금관리 주체 재량권 20% (금융성 기금 30%)

위 〈표1〉은 일반회계, 특별회계, 기금을 비교 정리한 것이다. 예산에 속하는 일반회계와 특별회계는 주로 세금으로 재원을 조달하고, 기금은 독자적인 재

원을 지니면서 지출에서도 일부 재량권을 지니고 있다. 한편, 특별회계와 기금은 설치 사유가 따로 있고 수입과 지출도 연계되어 있다는 점에서 일반회계와 구분된다. 특히 기금은 조세가 아닌 자체 재원조달방식을 가지고 있고 기금운용에서도 일부 재량권을 가지고 있다.

그러면 일반회계를 강화해야 하는가, 특별회계나 기금을 확대하는 것이 좋은가? 보통 재정학자들은 재정수단들이 각각 칸막이 식으로 운용되면 재정 배분이 비효율적으로 이루어질 수 있다는 우려에서 돈에 꼬리표가 없는 일반회계를 선호한다. 반면 정부 부처는 자신의 영향력을 확보하기 위해 특별회계나 기금을 더 좋아할 것이다. 각 재정 수단마다 장 · 단점을 가지고 있어 일반적인 답을 정하기는 어렵지만, 한국 정부 부처의 관료성을 감안할 때 상시적 사업이라면 재정관리 투명성을 높이기 위해 가능한 일반회계에 편입되는 것이 타당하다고 본다.

특별회계 중 새로 신설될 필요가 있는 것도 있다. 가령 '복지확충 특별회계'를 생각해 보자. 현재 한국의 정부총지출 중 사회복지 비중은 GDP의 약 9% 수준으로 OECD 평균인 GDP 20%에 턱없이 못 미친다. 이러한 상황에서 기존 일반회계 방식으로는 획기적인 복지 지출의 확대가 어렵다. 근래처럼 일반 세입이 감소하거나 재정 적자가 커질 경우 더욱 그렇다. 따라서 한국의 정부총지출에서 복지 지출이 OECD 수준에 도달할 때까지 집중적으로 복지 재정을 확보하기 위해서는 한시적으로 '복지확충 특별회계' 설치하는 것을 적극 검토해야 한다. 뒤에서 다루겠지만 사회복지세를 신설한다면 사회복지세와 복지확충 특별회계가 짝을 이루게 될 것이다.

국가재정 논의, 이 두 가지도 유의하자

지금까지 국가재정을 들여다보기 위한 준비 작업으로 국가재정 삼총사인 일반회계, 특별회계, 기금을 살펴보았다. 이 세 가지 금고를 토대로 다양한 국가재정 이야기가 펼쳐질 것이다. 덧붙여 앞으로 국가재정을 이해할 때 유의할 점 두 가지를 추가하며 이 장을 마무리 한다.

첫째, 앞에서도 말했듯이 국가재정은 중앙정부 재정보다 넓은 개념이다. 국제 기준에서 국가재정은 일반정부General government의 재정을 가리킨다. 이 때 일반정부란 '스스로 공급하지 않으면 편리하게, 그리고 경제적으로 생산될 수 없는 공공서비스 영역'이다. 따라서 일반정부는 공공서비스를 제공하는 조직으로 중앙정부 · 지방정부 · 공공기관 중 비시장적 기관을 포괄한다. 그리고 이 공적 주체들의 재정이 바로 국가재정이다. 독자들은 이후 재정과 관련된 수치를 읽을 때, 그 수치가 국제 비교에서 다루어지는 일반정부의 수치인지 아니면 중앙정부의 재정 자료인지 유의해서 봐야 한다.

종종 국제기구 수치와 국내의 정부 발표 수치에서 다소 차이가 발생하는 이유도 여기에 있다. 국제 비교에서 사용되는 대부분은 일반정부 재정수치이고, 국내에서 예산과 관련해 다루어지는 것은 거의 중앙정부 수치로 여기면 큰 문제는 없을 것이다. 예를 들어 OECD 국가재정 규모 비교자료에서 한국의 국가재정 규모가 2009년 GDP의 33.8%이면 이는 중앙정부 · 지방정부 · 비시장적 공공기관의 재정을 포괄한 수치다. 반면 국회에서 의결된 2010년 정부총지출 292조 8,000억 원은 중앙정부의 지출에 한정된 것이다. 이 책에서도 재정 관련 수치를 다룰 때 국제 기준의 일반정부 재정인지, 중앙정부 재정인지를 구분해 제시할 것이다.

둘째, 국가재정을 들여다보는 과정에서 필요에 따라서는 중앙정부 재정을 논하더라도 시야를 공기업 부문까지 넓혀야 한다. 일반적으로 공기업은 시장 활동을 하기 때문에 국가재정에 포함되지는 않는다. 하지만 공기업들이 사실상 여러 변형된 형태로 국가재정의 역할을 수행하고 있고, 근래 이러한 현상이 심화되고 있다. 가령 한국수자원공사는 4대강 사업의 비용 22조 원 중 약 8조 원을 부담하고, 한국철도공사는 인천공항철도 인수에 약 1조 원을 조달했다. 전통적으로 국가가 책임지던 수자원 관리와 선로 건설 등 국가의 고유한 재정 사업들이 공기업으로 전가된 것이다. 그만큼 국가재정의 공적 역할은 축소되고 공공서비스가 상업화되고 있다고 볼 수 있다.

2
장

기금도 국가재정이다

한국에서 '재정'은 중앙정부와 지방정부가 편성하고 국회와 지방의회가 심의하는 돈이라는 의미에서 보통 '예산'으로 불렸다. 지난 반세기 한국 국가재정의 기본 틀을 정했던 법도 1961년 제정된 예산회계법이다. '예산회계'라는 법명에서 드러나듯이 법이 제정될 당시에는 기금이 많지 않았다. 그러나 이후 기금이 공적 재정의 중요한 주체로 등장했다. 국가의 지출 영역이 다양해지면서 기금의 종류와 규모가 증가했다.

2010년 현재 기금의 수는 63개다. 가히 '기금의 시대'로 불릴 만하다. 몇 가지 예를 보자. 국민체육을 지원하기 위한 국민체육진흥기금(1972), 주택사업 활성화를 위한 국민주택기금(1981), 국민연금제도 도입에 따른 국민연금기금(1988), 남북관계 개선을 위한 남북협력기금(1991), 자유무역협정에 따른 농민 피해 지원을 위한 자유무역협정이행지원기금(2004) 등 여러 기금들이 신설되었고 규모도 커지고 있다.

기금, 국회 심의를 받는 국가재정으로 통합되다

오래 전부터 기금이 법률에 근거해 설치되고 국가조직에 의해 관리된다는 점에서 명실상부한 재정으로 다루어져야 한다는 목소리가 높았다. 마침내 1991년 기금관리기본법이 제정되었다. 이 법에 따라 기금에 대한 총괄 권한이 예산 부처에 부여됐다. 기금에 대한 관할 권한이 해당 부처에서 예산 부처로 격상된 것이다. 행정부 입장에서 기금에 대한 종합관리체계를 갖춘 것이다.

하지만 당시에도 기금은 여전히 국회 심의를 받지 않는 돈으로 행정부의 내부관리 대상으로 머물렀다. 국가재정의 일부가 국회 심의 없이 행정부에 위임되어 버렸으니 국회 입장에선 못마땅한 일이었다. 마침내 2002년 기금관리기본법이 개정되어 기금이 국회 심의 대상으로 포함됐다. 기금 역시 예산처럼 관련법에 의해 재원이 마련되고 지출되는 국가재정이 된 것이다. 이어 노무현 정부는 2006년 예산과 기금이 모두 국회 심의를 받는 국가재정인데 각각 다른 법에 주소를 둘 이유가 없다고 판단하고 예산회계법과 기금관리기본법을 통합해 국가재정법을 만들었다. 이제 예산과 기금이 하나의 법체계로 정비된 것이다.

앞서 살펴보았듯이 중앙정부의 재정은 일반회계, 특별회계, 기금으로 구성된다. 일반회계와 특별회계를 합친 것이 예산이고, 여기에 기금이 더해진 것이 정부총지출이다. 그래서 정부가 국회에 제출하는 다음해 나라살림의 이름은 엄밀히 사용하면 '예산'이 아니라 '정부총지출'이다.

지금까지 국가가 주관하는 재정을 예산으로 불러왔다는 점에서 일부에서는 일반회계, 특별회계, 기금을 모두 합하여 '광의의 예산'으로 부르기도 한다. 뒤에서 살펴보겠지만, 예를 들어 정부가 재정관리 시스템으로 운용하는 '디지털 예산 회계 시스템'은 '예산'이라는 이름을 쓰고 있지만 실제로 예산뿐만 아니라 기금도 포괄하고, '성인지 예산제'도 예산과 기금을 대상으로 한다. 하지만 최근에는 정부 문서도 예산, 기금, 정부총지출 등을 명확히 구분해 사용하고 있으므로 불필요한 혼동을 피하기 위해서라도 용어 사용에 엄격해야 한다.

국가재정이 예산과 기금을 모두 포괄하게 됨에 따라 정부총지출 구조를 이해하는 데 더욱 주의가 필요하게 됐다. 〈표2〉를 보면 2010년 한국의 중앙정부총지출 규모는 292.8조 원이다. 이 중 일반회계와 특별회계를 합친 예산이 205.3조 원이고 기금이 87.5조 원이다.

〈표2〉 2010년 중앙정부총지출 (단위: 조 원)

	2009		2010 (C)	증감	
	본예산(A)	추경(B)		본예산 대비(C/A)	추경 대비(C/B)
예 산	204.1	210.3	205.3	1.2조 (0.6%)	−5.0조 (−2.4%)
기 금	80.4	91.5	87.5	7.1조 (8.8%)	−4.0조 (−4.4%)
총지출	284.5	301.8	292.8	8.3조 (2.9%)	−9.0조 (−3.0%)

출처: 기획재정부(2009a), 〈2010년 나라살림 국회 확정 주요 내용〉 등 기획재정부 관련 자료 재구성.

전년도 최종 정부총지출인 추경액을 기준으로 보면 9조 원이 줄어든 것인데, 예산과 기금에서 각각 5조 원, 4조 원 감소한 것이다. 2009년 추경예산은 301.8조 원으로 본예산 284.5조 원에 비해 17.3조 원이 늘었다. 2008년 말에 불어닥친 금융위기에 대응하기 위해 2009년 4월에 재정 지출을 대폭 늘린 것이다. 그런데 증가액 중 11.1조 원이 기금에서 충당됐다. 이처럼 정부가 재정 지출을 특별히 늘려야하는 상황에서 기금에 의존하는 경우가 많다. 기금은 보통 세금보다는 보험료나 부담금 등 자체 재원으로 마련되기 때문에 정부가 세금을 올리지 않고도 재정 지출을 늘릴 수 있는 하나의 창구가 된다. 국가재정을 이야기할 때 기금를 눈여겨보아야 하는 중요한 이유다.

기금, 목적에 따라 네 가지로 분류

기금은 일반회계, 특별회계와 달리 종류도 다양하고 쓰임새와 운용과정이 우리에게 익숙지 않다. 〈표2〉의 2010년 중앙정부총지출을 보면 기금에서 지출한 돈이 87.5조 원으로 전체 정부총지출의 3분의 1을 차지한다. 기금은 특정한 사업을 위해 설립된 만큼 기금의 규모나 의사결정구조 등이 다양한데, 〈표3〉에서 보듯이 보통 설치 목적에 따라 네 가지로 분류된다.

〈표3〉 2010년 기금 현황 (63개)

	사업성 기금	사회보험성 기금	금융성 기금	계정성 기금	계
주요 기금	대외경제협력기금 남북협력기금 문화예술진흥기금	국민연금기금 공무원연금기금 고용보험기금	신용보증기금 농어촌목돈마련기금 부실채권정리기금	공공자금관리기금 외국환평형기금 공적자금상환기금	
개수	41	6	11	5	63

사업성 기금은 대외협력기금이나 문화예술기금처럼 직접 대외지원사업, 문

화예술지원사업 등을 위해 조성된 돈이다. 사실상 정부 부처 예산사업이 기금에 위탁되었다고 볼 수 있다. 사회보험성 기금은 국민연금기금, 고용보험기금처럼 사회보험제도에 따른 돈이다. 일부 국고지원이 있지만 대부분 보험료로 조성된다. 금융성 기금은 금융정책의 일환으로 쓰이는 돈이다. 신용보증기금은 중소기업이 얻은 대출을 보증해 주고, 농어촌목돈마련저축기금은 농어가목돈마련저축에 가입한 농어민에게 저축장려금을 지급해 준다.

한편 계정성 기금은 자금이 오고가는 정거장의 의미를 가지는 돈이다. 예를 들어 공공자금관리기금은 국채, 타 기금의 여유자금 등을 모아 다시 다른 기금에 예치 혹은 대여한다. 전체 기금의 기금 역할을 하는 호주머니인 셈이다. 환율정책에 무리하게 개입해 큰 손실을 입었던 외국환평형기금도 계정성 기금에 속한다. 이 기금은 외국환평형기금채권을 발행해 재정을 조성하고 이것으로 외환을 매입해 환율을 안정시키고자 조성된 기금이다. 돈을 발행하고 이 돈으로 다시 돈(외환)을 사는 것이기 때문에 논리적으로 보면 사업보다는 계정의 성격이 강하다. 하지만 종종 한국의 예산당국은 외국환평형기금이 계정성 기금이란 사실을 잊고 무리하게 고위험 외환시장에 들어갔다 국고를 축내는 물의를 빚곤 했다.

정부총지출보다 큰 기금운영 규모

기금에서 특히 주목해야할 것이 기금운용 문제다. 기금의 규모가 커짐에 따라 기금이 어떠한 곳에 투자하느냐가 국민경제에 커다란 영향을 미치게 되었기 때문이다. 기금은 자신의 사업을 벌이기 위해 일정한 재정을 기금으로 적립한다. 기금을 땅에 묻어 놓을 수는 없는 노릇이므로 정부나 기금관리기관은 기금을 자산시장에서 운용해 수익을 올리려 한다. 이 때 기금운용은 국민경제의 조화로운 발전에 기여하는 방식으로 이루어져야 하고, 기금이 개인의 여유자금은 아니므로 고위험 투자에 나섰다가 원금을 까먹는 일이 있어서도 곤란하다. 안타깝게도 한국에서 기금의 운용 규모는 갈수록 커지는데, 금융시장 부양을 위해 기금을 활용하려는 정부의 입김은 제대로 통제되지 못하고 있다. 국민들이 기금운용을 불신할 수밖에 없는 현실이다.

〈표4〉 기금 현황 (2008)

	자산	부채	순자산	기금운용 평잔	사업비
항목	749.1조 원	532.4조 원	216.7조 원	301.5조 원	69.2조 원

출처: 정금희(2009), 〈2008년도 기금 여유자금 운용실태 및 문제점 분석〉, 국회예산정책처. 대한민국정부(2008), 〈2009년도 기금운용계획안〉 등을 재구성.

〈표4〉를 보면, 2008년 한국에서 기금이 지닌 자산 규모는 무려 749.1조 원에 이른다. 여기서 채권 발행에 따른 외부 부채, 내부전입에 따른 부채 등 총 532.4조 원의 부채를 감안하면, 기금이 지닌 순자산은 216.7조 원이다. 이 중에서 우리가 특히 주목해야 할 대상은 자산시장에서 운용된 평잔 규모인데, 무려 301.5조 원에 이른다. 같은 해 정부총지출 262.8조 원보다 큰 돈이 기금이라는 이름으로 자산시장에서 운용되고 있고, 앞으로 이 규모는 더욱 커질 예정이다.

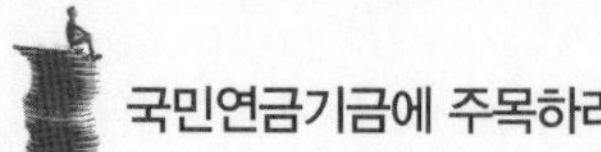

국민연금기금에 주목하라

한국의 기금을 이야기할 때 항상 떠올려야 하는 것이 국민연금기금이다. 국민연금기금은 기금 관련 수치에 큰 영향을 미치고 있다. 〈표4〉를 보면, 전체 기금 순자산 216.7조 원 중 국민연금기금이 236조 원을 차지한다. 국민연금기금의 순자산이 전체 기금의 순자산보다 크다는 것은 현재 다른 기금은 애초 자본을 잠식해 부채가 더 많다는 점을, 국민연금기금은 다른 기금과 비교할 수 없을 만큼 거대한 순자산을 가지고 있다는 점을 말해준다.

다른 나라의 공적연금은 대부분 적립금을 가지지 않는 부과 방식 재정 구조다. 한국의 공무원연금처럼 그 해 필요한 연금지출액을 보험료 수입과 정부 지원금으로 충당하는 까닭에 사실상 적립금을 보유하고 있지 않다. 반면 국민연금기금의 재정 구조는 미래 연금액을 미리 쌓아두는 적립방식이다. 국민연금기금이 2010년까지 조성한 금액이 303조 원에 이를 예정이고, 앞으로도 30년 이상 급여 지출보다 보험료 수입이 더 많아 기금 규모는 더욱 증가할 것이다. 국민연금기금이 가장 커지는 2043년의 기금 규모는 무려 2,465조 원(2005년 불변가격 1,056조 원)에 이른다. 당시 한국의 GDP 절반에 육박하는 수준이다. 한국에서

● 2010년 국민연금기금 규모에 대해서는 국민연금기금운용위원회(2010), 〈2011년도 국민연금기금 운용계획〉 (2010. 6)을, 국민연금기금이 최고 적립금을 가지게 되는 2043년 추계치에 대해선 국민연금재정추계위원회(2008), 《2008 국민연금재정계산 장기재정추계 및 운영개선방향》 (2008. 11)을 참조하라.

'국민연금기금 정치'가 지닌 중요성은 아무리 강조해도 지나치지 않다(국민연금기금운용위원회 2010; 국민연금재정추계위원회 2008).●

그런데 여기서 기금운용액과 정부총지출을 혼동하지 말아야 한다. 기금은 자산stock 방식의 적립금이어서 현금flow방식의 돈으로 전액 당해에 지출되는 재정인 일반회계나 특별회계와 다르다. 예를 들어, 2010년에 조성될 국민연금기금 303조 원은 연금급여에 사용되는 지출성 재정이 아니라 자산시장에 투자되는 운용액이다. 정부총지출에 포함되는 돈은 기금운용액 303조 원과 연금급여지출, 연금공단 운영비 등에 별도로 사용되는 10조 원이다. 정부총지출을 넘는 거대한 또 하나의 공공재정이 자산시장에서 운용되면서 국민경제에 커다란 영향을 미치고 있다는 점을 잊지 말아야 한다.

기금은 금융시장의 부양 수단이기도

기금운용 문제를 조금 더 살펴보자. 한국경제의 거품을 만들어내는 주식, 부동산시장에 기금이 큰 영향을 미치고 있다. 기금의 입장에서는 운용수익을 위해 자산시장에 뛰어드는 것이지만, 정부의 입장에서 보면 자신이 영향력을 행사할 수 있는 수백조 원의 금융시장 부양금이 존재하는 셈이다.

필자가 2004년에 국회 보좌관으로 들어가 맨 처음 다룬 법안이 기금관리기본법 개정안이었다. 노무현 정부가 제출한 개정안의 내용은 간단했다. 기금의 주식 및 부동산 투자를 금지하는 포괄조항(3조 3항)을 삭제하자는 것이었다. 당시까지 기금관리기본법은 기금의 수익성보다는 안정성을 중요시 해 주식과 부동산 투자를 원칙적으로 금지하고, 예외적으로만 공익에 위배되지 않는 선에서 위험자산 투자를 허용하고 있었다. 당시 민주노동당이 개정안에 반대했지만 역부족이었다. 정부의 뜻대로 2005년 이 조항이 삭제되었고 이후 모든 기금이 주식과 부동산 투자를 자율적으로 결정할 수 있게 되었다. 그만큼 국민의 입장에서 기금운용에서 위험 부담이 커졌고, 정부나 기금관리기관의 입장에선 자신의 재량권이 늘어났다고 볼 수 있다(오건호 2004).

2010년 현재 규모가 1조 원이 넘는 기금들은 자체적으로 기금운용위원회를 설치해 운용계획을 수립하고 있다. 국민연금기금이 가장 대표적인 사례다. 국민연금기금운용위원회는 303조 원의 운용계획을 작성해 기획재정부에 제출하고 국회 심의를 받은 후 자신이 직접 집행한다. 반면 1조 원 이내 중소형 기금들은 기획재정부가 설정하는 연기금투자풀에 여유자금을 예탁할 수 있다. 기획재정부 차관이 위원장인 투자풀위원회가 이 기금들을 모아 기금운용계획을 수립한다. 2010년 8월 현재 투자풀위원회는 총 59개 기금에서 약 7조 원을 예탁 받아 이를 민간 주간운용사가 통합관리하도록 한다. 현재 주간운용사는 삼성투신운용이다. 이 회사는 연기금투자풀 제도가 도입된 2001년 이후 계속 주간운용사로 선정되어 왔고, 다시 2010~2013년까지 4년간 주간운용사로 재선정되어 12년간 독점적인 자리를 유지하게 되었다(기획재정부 2009b).

기금 개혁의 핵심은 '참여형 지배 구조' 구축

그러면 국가재정에서 기금의 비중을 늘려야 할까, 줄여야 할까? 개별 기금마다 고유한 특성을 가지고 있어 이 질문에 쉽게 답하기 어렵다. 결국 기금은 어떤 정부, 누가 운용하느냐가 중요하다. 한국의 경우 기금의 규모가 빠른 속도로 증가하고 있고, 기금운용에서 정부의 영향력이 크다는 점에 유의해야 한다.

원론적으로 기금이 지닌 장점은 지배 구조에 있다. 기금은 행정부와 국회가 의사결정과정을 독점하는 예산과 비교하여 상대적으로 사회구성원들이 참여할 수 있는 여지를 가지고 있다. 예를 들어 현재 국민연금기금 · 고용보험기금 등 사회보험성 기금의 의사결정에는 제한적이나마 가입자 대표들이 참여하고 있다. 방송발전기금 · 여성발전기금 등 시민사회단체의 참여 없이 정부 부처가 사실상 의사결정권을 쥐고 있는 경우에도, 일반시민의 관심이 커지고 시민사회가 발전할 경우 이해관계자 대표들이 참여할 수 있는 길이 열릴 수 있다.

하지만 현실은 원론과 너무 멀다. 오히려 거꾸로 가고 있다. 2008년에 발의되어 2010년까지도 국회에서 논의 중인 국민연금기금 민간위탁법안(국민연금법 개정안)을 보라. 현재 스무 명으로 구성된 국민연금기금운용위원회에는 가입자 단체 대표가 열두 명으로 과반수를 차지하고 있다. 국민연금기금이 가입자의 보험료로 조성된 것을 존중해 만들어진 참여형 지배 구조다. 그런데 이명박 정부가 제출한 개정안의 골자는 위원회 규모를 일곱 명으로 줄이면서, 가입자 대표를 모두 내쫓고 전원을 민간 금융전문가로 채우겠다는 것이다. 주식이나 부동산 등 위험자산에 국민연금기금 투자를 늘리려는 사전초석이다. 한국에서 몇 안 되는 참여형 기금조차 위험에 처해 있다(오건호 2008).

기금이 진보 진영에게 주는 메시지

지금까지 우리에게 익숙하지 않은 기금에 대해 살펴보았다. 기금은 국가재정 공부를 넘어 진보운동에게 중요한 실천적 함의를 주고 있다. 아래 세 가지를 유념하자.

첫째, 기금은 국가재정을 구성하는 삼각기둥 중 하나다. 우리 일상생활 곳곳에 기금이 영향을 미치고 있다. 예를 들어, 2009년 복지 지출 80.4조 원 중 54조 원이 기금에서 나왔다. 실업급여사업은 고용보험기금에서, 노후연금 지출은 국민연금기금 · 공무원연금기금 · 사학연금기금 · 군인연금기금에서 수행된다. 진보 진영이 복지재정 확대를 원한다면 주요한 기둥인 기금에도 관심을 가져야 한다.

둘째, 기금은 자신의 적립금을 토대로 한국 자산운용시장에서 핵심 투자자로 부상해 있다. 기금이 공공적으로 운영될 경우 한국의 사회 · 경제 인프라가 강화되겠지만 반대로 자산시장 거품을 일으키는 위험한 주체가 될 수도 있다. 2009년 기준 국민연금기금은 40개 재벌을 대상으로 평균 4.94%의 주식 지분을 소유하고 있다. 이는 같은 해 재벌대기업의 총수일가 지분율 4.51%를 넘는 수준이다(총수 평균 2.02%, 총수 친족 평균 2.49%). 진보운동이 대안적인 기금운용 전략을 마련하고 이를 공론화하는 활동을 벌인다면 예상외의 급진적 효과까지 거둘 수

도 있다(국민연금공단 2009; 공정거래위원회 2009).●

셋째, 기금은 예산에 비해 상대적으로 의사결정과정에 이해관계자가 참여할 수 있는 공간을 가질 수 있다. 기금이 지닌 잠재적 긍정성이다. 그런데 이명박 정부에서 상황은 거꾸로 가고 있다. 근래 국민연금기금 지배 구조 개정 논의를 보면 미래 전망은 어둡기만 하다. 기금의 지배 구조를 민주화하는 과제가 진보운동과 시민사회의 어깨 위에 놓여 있다.

● 국민연금기금의 기업집단 주식 소유 비중은 국민연금공단, 〈국민연금기금의 기업집단 지분 소유 현황〉 (2009. 3. 6)을 총수 일가의 기업집단 주식 소유 비중은 공정거래위원회 〈2009년 대기업집단 주식소유현황 등에 대한 정보공개〉 (2009. 10. 23)를 참조하라.

3장

국가재정 수치와 친해지기

국가재정은 수치를 통해 자신을 드러낸다. 수많은 국가재정 수치들이 언론 지면을 장식한다. 기사를 읽을 땐 끄덕이지만 금세 머릿속에서 사라진다. 재정 관련 수치들이 많고 규모가 거대한 탓이다. 그런데 국가재정 수치들을 곰곰이 살펴보면 거의 모든 수치에 적용되는 기준이 발견된다. 이 기준이 없으면 수치들이 자신을 드러낼 수도 없으며, 다른 수치들과 비교될 수 없을 정도다. 이 기준만 분명히 기억하고 있으면 의외로 국가재정 수치들을 기억하기가 손쉬워진다. 바로 국내총생산GDP이다. 이 장에서는 이를 활용해 국가재정의 주요 수치들과 친해져 보자.

국내총생산GDP 약 1,000조 원을 기억하라

국가재정 규모, 조세부담률, 복지 지출 규모, 국가채무 등 거의 모든 재정 수치들은 GDP 비중으로 표기된다. 당연히 국제 비교에서도 GDP 대비 수치가 사용된다. 국가재정의 절대적 금액보다는 각국의 국내총생산에서 차지하는 국가재정의 비중이 유의미한 정보를 전해주기 때문이다. 따라서 국가재정을 다룰 때 반드시 기억해야할 수치가 GDP 규모다. 당신은 현재 한국의 GDP가 얼마인지 알고 있는가? 만약 이 질문에 대략 답할 수 있다면, 당신은 국가재정에 수월히 접근할 수 있을 것이다.

다행히 한국의 GDP는 기억하기 매우 좋은 수치다. 2009년 한국의 GDP는 1,063조 원이다. 대략 약 1,000조 원이다. 몇 가지 예를 들어보자. 같은 해 한국의 조세부담률이 GDP 20.1%로 예상된다. 그러면 한국 국민들이 얼마를 세금으로 내고 있을까? 조세부담률로 절대 금액을 끄집어 낼 수 있다. 약 200조 원이다. 국제 기준에 따라 필자가 대략 계산해보니 2009년 한국의 복지 재정은 약 GDP 9%대로 추정된다. OECD 자료를 보면 회원국 평균은 약 20%로 그 차이가 11% 포인트에 이른다. 그러면 한국이 얼마를 더 복지에 지출해야 OECD 평균에 도달할 수 있는 걸까? 110조 원을 더 복지에 사용해야 한다. OECD에 가입했다고 마냥 우쭐댈 일이 아니다.

재정건전성 문제의 근본 원인은 과다 지출 아니라 적은 수입

국가재정에서 가장 대표적인 수치는 재정 규모다. 한국의 국가재정 규모는 2009년 GDP 33.8%에 달한다(OECD 2009a).• 대략 340조 원이다. 이 금액을 조성하기 위해 정부는 세금과 사회보험료를 거두고, 담배부담금이나 복권 수입 등 다양한 기금 재원을 발굴하며, 모자라는 돈은 국채 발행으로 충당한다.

한편 한국의 국가재정은 OECD 평균이 GDP의 44.8%인 것에 비해 11% 포인트 낮다. 금액으로 얼마나 부족한 것일까? 그렇다! 지금보다 약 110조 원이 더 늘어야 OECD 회원국 값을 할 수 있다. 대략 복지 지출 부족분만큼 국가재정 규모도 작은 셈이다. 그런데 앞으로는 정부가 강력히 재정 지출을 통제할 예정이어서 한국의 국가재정 규모는 2010년에는 GDP의 31.3%, 2011년에는 30.9%로 낮아질 전망이다. OECD 국가들과 격차가 더 커질 듯하다.

〈그림3〉 GDP 대비 국가재정 규모 비교

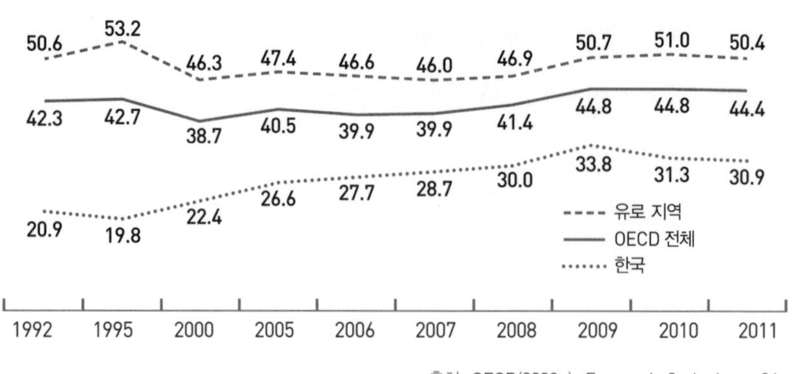

출처: OECD(2009a), Economic Outlook no. 86.

잠시 재정건전성 논란을 살펴보자. 2009년에 중앙정부의 재정 적자가 50조 원을 넘어서자 한국에서도 재정건전성 문제가 불거졌다. 전통적으로 '균형재정' 원칙이 강한 한국에선 심상치 않은 일이다. 정부는 재정 지출을 엄격히 관리하겠다고 선언한다. 하지만 한국에서 재정건전성 문제가 발생하는 근본 원인은 '과다 지출'이 아니라 '적은 수입'이다. 한국의 국가재정 규모가 OECD 회원국에 비해 무려 110조 원이나 부족하기 때문이다. 제대로 국가재정을 키우고자 한다면 무엇보다 재정 수입을 늘리는 것이 핵심 국정과제이어야 한다. 그런데도 이명박 정부는 감세를 강행했다. 국가재정을 관리할 자격이 없는 정부다.

OECD와 한국 정부, 재정수치 산정 방식이 다르다

앞서 한국의 중앙정부 재정수치와 국제기구에서 다루어지는 국가재정 수치에는 차이가 있다고 지적했다. 이 문제를 좀 더 살펴보자. 국회에서 확정된 2010년 중앙정부총지출 규모는 293조 원이다. 대략 GDP 30%에 달하는 수준이다. 그런데 〈그림3〉에서 본 OECD 자료에 의하면 한국의 국가재정 규모는 GDP 31.3%이다. 수치가 엇비슷하지만 양자는 내용에서 큰 차이가 있다.

● OECD 국제 통계치는 발표 때마다 조정되는 까닭에 조금씩 수정되곤 한다. 이 수치는 OECD(2009a) Economic Outlook no. 86 (2009. 9)를 토대로 한 것이다.

국제적으로 국가재정은 중앙정부, 지방정부, 비영리공공기관을 합한 범주이다. 따라서 각국이 OECD에 보고하는 수치는 이 세 가지를 합산한 것이다. OECD 자료에 한국의 국가재정 규모가 GDP 31.3%라는 것이 이에 해당한다. 반면 국내에서 중앙정부와 지방정부는 행정적으로 별개의 조직이고 예산 심의도 국회와 지방의회에서 각각 이루어진다. 따라서 중앙정부의 지출과 지방정부의 지출이 구분된다. 국내 언론에서 보통 보도되는 수치는 국회가 심의하는 중앙정부총지출이다. 293조 원이 여기에 해당한다.

그런데 중앙정부의 총지출(293조 원)과 OECD 국가재정 규모(GDP 31.3%)가 GDP 30% 수준으로 엇비슷하다면, OECD 국가재정에 포함된 지방정부, 비영리 공공기관의 지출액은 어디로 간 것인가?

여기에 답하기 위해선 여러 단계의 작업이 필요하다. 우선 국제기구에서 산정하는 중앙정부의 지출 항목과 한국 정부총지출 항목이 일치하지 않는다. 가령, 정부의 융자 지출은 '순 재정지출'이 아니므로 국제기준에서 정부지출로 인정되지 않는다. 중앙정부가 지방정부로 재정을 이전하는 '교부금'도 영향을 미친다. 한국의 중앙정부 지출 중 막대한 금액이 지방교부금 · 교육교부금으로 이전된다. OECD 국가재정 규모를 계산할 때는 중앙정부 · 지방정부 · 비영리공공기관 지출의 총합에서 융자금 지출 · 지방교부금 등이 제외되므로, 외관상 OECD 국가재정 규모가 총지출 규모와 엇비슷하게 보이는 것이다.

이 책 16장에서 '지방재정조정 제도'에 대해 따로 살펴볼 예정이므로 여기서는 잠시 이 주제를 미뤄두자. 대신 앞으로 정기국회에서 다루어질 정부총지출 금액은 중앙정부에 한정된 것임을 기억하자. 2010년 293조 원이다.

한국이 두 개의 재정수지를 가진 까닭

재정건전성과 관련해 재정수지 수치도 주의해 보아야 한다. 2010년 중앙정부총지출이 293조 원이면 총수입은 얼마일까? 〈표5〉를 보자. 총수입은 일반회계, 특별회계, 기금의 수입을 모두 합친 금액으로 291조 원이다. 그렇다면 적자? 그렇다! 총지출(293조 원)에서 총수입(291조 원)을 뺀 2조 원이 재정 적자이다. 그런데 아마 국가재정에 관심이 많은 독자라면 언론에서 한국의 2010년 재정 적자가 30조 원에 달한다는 기사를 읽은 기억이 있을 것이다. 이 액수의 차이는 도대체 어찌된 일인가?

〈표5〉 중앙정부 재정수지 관련 수치 (단위: 조 원, GDP %)

연도	총지출	총수입	통합대상수지	관리대상수지 (GDP %)	국가채무 (GDP %)
2008	262.8	274.2	11.4	△16.6 (△1.7)	308.3 (30.1)
2009	301.8	279.8	△22.0	△51.0 (△5.0)	366.0 (35.6)
2010	292.8	290.8	△2.0	△30.1 (2.7)	407.2 (36.1)

출처: 기획재정부(2009a), 〈10년 나라살림 국회 확정 주요내용〉 등 관련 자료 재구성.
* △표시는 적자. 2009년 결산자료에 의하면 세수 증가로 관리대상 적자는 △3.2조, GDP 4.1%로 낮아짐.

한국의 국가재정을 살펴볼 때 항상 유념해야할 재정 항목이 국민연금기금이다. 현재 국민연금기금은 연금을 받는 수급자보다 보험료를 내는 가입자가 훨씬 많다. 2043년까지는 지출보다 수입이 많을 예정이다. 2010년에도 국민연금기금은 막대한 흑자를 기록할 것이다. 이 흑자분이 중앙정부 재정수지에 착시 현상을 야기한다. 국민연금기금 흑자는 당해연도로 보면 남는 돈이지만 미래에 연금 급여로 지출되어야 할 돈이다. 즉 지출이 유예된 예탁금일 뿐이다. 따라서 중앙 정부의 실질적인 재정수지를 파악하기 위해서는 연금기금의 흑자분을 제외해야 한다. 그럴 경우 2010년의 재정 적자는 2조 원이 아니라 30조 원이 된다.

그래서 한국의 국가재정에는 두 개의 재정수지가 있다. 하나는 중앙정부총지출에서 총수입을 뺀 '통합대상수지'이다. 국제 비교에서 일반적으로 사용되는 것이 바로 통합대상수지이다. 2010년 한국의 통합재정수지는 2조 원 적자다.

그런데 한국은 국민연금기금의 존재로 인해 새로운 재정수지 범주가 필요하다. 연금기금 흑자분을 제외하고 실제 중앙정부가 관리해야할 수지라는 의미에서 이것을 '관리대상수지'라고 부른다. 다른 나라는 보통 통합재정수지만을 가지고 있으나, 적립식 국민연금기금을 가지고 있는 한국에선 반드시 관리대상수지가 추가로 계산되어야 한다. 2010년 한국의 관리대상수지는 30조 원 적자이고, 국민들에게 더욱 중요한 수치는 이것이다.

국가채무 수치도 주요 논란거리

관리대상수지가 30조 원에 달한다면, 이를 어떻게 메워야 할까? 전년도 세계잉여금, 기금 전입금 등을 일부 활용할 수 있으나 대부분은 국채를 발행해 적자를 보전할 수밖에 없다. 그만큼 국가채무가 늘어날 것이다.

〈표5〉를 다시 보면, 2008년 308조 원이던 국가채무가 2010년 407조 원으

로 증가할 예정이다. GDP 대비 36.1%이다. 이명박 정부는 한국의 국가채무 수준이 OECD 평균(2009년 약 GDP 90%)에 비해 낮기 때문에 아직까지 건전하다고 자신한다. 하지만 많은 재정학자들이 지적하듯이, 한국의 국가채무 산정 방식이 국제 기준과 달라 수치가 과소 추계되어 있다. 게다가 한국의 국가채무 증가율이 매우 빠르다는 점을 염두에 두어야 한다. 국가채무 논란이 재정긴축으로 이어질 수 있는 만큼 진보 진영의 관심이 필요하다. 이에 대해선 15장에서 자세히 다루겠다.

2부

대한민국 국가재정 운용체계 이해하기

4장

국가재정전략회의를 아시나요?

2009년 5월 23일 노무현 전 대통령이 스스로 목숨을 끊었다. 모두가 놀라고 비통해 했다. 기획재정부 역시 당황했다. 무엇보다 다음날 아주 중요한 국정 행사가 예정되어 있었기 때문이다. 일단 행사는 연기했지만 워낙 막중한 일이라 더 미루진 못하고 3일 후에 개최했다.

국가재정, '행정'을 넘어 '전략'으로

이 행사의 이름은 '국가재정전략회의'다. 대통령이 주재하고 모든 장관들이 모여 향후 5년간 핵심 국가재정 의제와 지출계획을 마련하는 자리다. 정부의 국가재정 의사결정에서 가장 주목해야할 곳이 어디냐고 묻는다면, 필자는 국가재정전략회의라고 답한다.

여기서 국가재정의 주요 전략이 사실상 결정된다. 지금 논란의 한복판에 있는 4대강 사업도 이 자리에서 정해졌고 다음해 정부총지출안, 5년 중기재정운용계획의 기본 골격도 이 회의에서 논의된다. 그런데 국내 언론은 이 회의를 크게 보도하지 않는다. 정부가 회의 결과를 제대로 공개하지 않는 게 근본적인 원인이지만 언론 역시 국가재정전략회의의 중요성을 충분히 인지하지 못한 탓이다.

어떻게 5월에 열리는 재정관련 회의가 다음해 나라살림을 미리 정할 수 있단 말인가? 한국에는 2007년부터 '재정 전략' 개념이 도입됐다. 이는 한국의 국가재정 체계에서 획기적인 변화다. 이 변화를 이끌었던 사람이 바로 노무현 전 대통령이다.

1948년 대한민국 정부가 출범했다. 국가재정을 편성하고 심의해야 하는데 나라꼴을 제대로 갖춘 것은 아니었다. 급한 대로 식민지 시대의 재정법을 본떠 사용했다. 한국에서 국가재정을 다루는 법이 정비된 것은 '예산회계법'이 제정된 1961년의 일이다. 30년 후인 1991년에는 '기금관리기본법'도 만들어졌다. 비로소 국가재정의 두 기둥인 예산과 기금을 다루는 법제가 자리를 잡은 것이다. 이후 예산과 기금 모두 국가재정이므로 하나의 법체계로 통합되어야 한다는 요구가 생겨났다. 이에 2006년 반세기 동안 재정 관련법으로 역할을 담당했던 예산회계법과 그 친구 기금관리기본법이 폐지되고, 대신 이 두 법을 통합해 '국가재정법'이 제정됐다.

국가재정법 제정을 계기로 한국의 재정 구조에 일대 전환이 이루어졌다. 국가재정에 '전략'이 등장한 것이다. 국가재정법은 예산과 기금을 통합하는 형식적 변화를 넘어 국가재정운용의 틀을 근본적으로 새로 짜는 내용을 담고 있다. 국가재정이 종래의 '행정 관리' 역할에서 한걸음 더 나아가 '국정 전략'의 추진자로 자임하고 나선 것이다. 시장권력에 무기력했던 노무현 대통령이었지만 국가재정 체계 개혁은 인정해줄만한 그의 성과다. 만약 그가 대통령이었으면 세상을 등진 다음날인 5월 24일과 25일 이틀간 과천 근방 연수원에서 부처 장관들과 국가재정 전략회의를 가졌을 것이다. 대통령과 국무위원 전원이 넥타이를 풀고 배석자 없이 이틀간 합숙하면서 말이다. 그만큼 무게 있는 회의다(대한민국정책포탈 특별기획팀 2008).●

국가재정전략회의, 분야별 · 부처별 지출 한도 미리 정한다

현재 정부의 국가재정 편성에서 가장 중요한 작업은 '전략적 재정 배분'과 '중기재정운용계획'이다. 전략적 재정 배분은 정부가 자신의 국정 전략에 의거해 분야별(복지, 교육, 과학기술, 국방 등 16개 분야) · 부처별 지출 규모를 정하는 일이다. 예를 들어 다음해 정부총지출 규모, 복지 분야 지출 비중, 보건복지가족부 예산 한도 등을 정하는 것이다. 이러한 전략적 재정 배분을 5년 기간으로 설정하면 중기재정운용계획이 된다.

● 국가재정전략회의의 진행과정에 대해 외부에 알려진 정보는 지극히 제한적이다. 정부에서 발표하는 보도자료도 회의 개최 및 취지를 알리는 수준에 머물러 있다. 노무현 정부 시절 재정 전략 개념의 도입과 국가재정전략회의의 운영 관련해서는 대한민국정책포탈 특별기획팀(2008), 〈실록 경제정책 ⑤ 미래를 준비하는 전략적 재정운영〉을 참조할 수 있다(http://korea.kr).

정부는 매년 10월 1일 예산안과 관련된 두 개의 문서를 국회에 제출한다. 하나는 〈다음해 예산 · 기금안〉이고 다른 하나는 〈5년 국가재정운용계획안〉이다. 전자가 바로 전략적 재정 배분안이고 후자는 이를 5년간 적용한 중기재정운용계획안이다.

이 두 문서의 기본 골격이 어디서 정해질까? 바로 5월에 열리는 국가재정전략회의에서다. 이 회의에서 분야별 · 부처별 지출 규모가 정해지면 다음해 재정운용의 큰 틀은 일단락되었다고 볼 수 있다. 각 부처 장관은 국가재정전략회의에서 정해진 재정 배분액으로 자신의 부처로 돌아가 그에 맞추어 예산을 편성한다. 이후 후속 과정에선 배정된 지출 한도를 기준으로 부처 내부에서 세부 항목을 조정하는 일만 남는 것이다.

예산안 편성, 어떻게 진행되었나?

한 해 예산안(엄밀하게는 예산과 기금을 포함한 정부총지출안)이 마련되는 과정을 일정을 통해 구체적으로 살펴보자. 〈표6〉을 보면 매년 12월 기획재정부가 각 부처에 향후 5개년 '국가재정운용계획 수립지침'을 통보한다. 이 지침에 따라 부처는 기존 재정사업에서 새로 생긴 변동요인을 반영하여 부처별 〈중기사업계획서〉를 1월 말까지 기획재정부에 제출하고, 기획재정부는 이 자료를 기초로 4월에 향후 5년간 분야별 · 부처별 재정 배분 몫을 담은 〈5개년 국가재정운용계획(시안)〉을 마련한다.

〈표6〉 2010년 정부의 국가재정운용 편성과정 일정

기간	주체	내용
2009년 12월	기획재정부	2010~2014년 국가재정운용계획 수립 지침 통보
2010년 1월	부처	기획재정부에 중기사업계획서 제출
1~4월	기획재정부	2010~2014년 국가재정운용계획(시안) 마련
5월	국가재정전략회의	2011년 분야별, 부처별 지출한도 설정
5~6월	부처	지출한도 내에서 2011년 예산요구안 내부 자율 편성
6월 말	부처	기획재정부에 2011년 예산요구안 제출
9월 말	국무회의	2011년 예산안 및 2010~2014년 국가재정운용계획안 확정
10월 2일	정부	2011년 예산안 및 2010~2014년 국가재정운용계획안 국회 제출

2010년 국가재정전략회의는 5월 9일 개최되었다. 이 회의의 결과는 거의 알려지지 않았지만 이미 다음 해의 복지, 교육, 국방 등 주요 분야별 지출 한도가 사실상 결정된 셈이다. 아직까지 진보 진영이나 언론, 심지어 국회까지도 국가재정전략회의에 크게 주목하지 않고 있다. 진보운동 세력이 전국민실업급여제, 사회서비스 100만 일자리, 획기적 복지 지출 확대 등을 요구하기 위해서는 이미 예산안이 제출된 정기국회 이전 단계인 국가재정전략회의에 적극 대응해야 한다.

지금까지 국가재정 이슈는 정부가 국회에 예산안을 제출하는 시점을 전후해 떠올랐다. 이때 정부 예산안이 확정되고 국회가 심의에 나서기 때문이다. 진보 진영 역시 이 시기에만 재정에 관심을 갖는다. 하지만 정기국회 논의가 지니는 한계는 분명하다. 이미 정부가 정해놓은 예산안 규모 프레임이 강하게 작동하기 때문이다. 정기국회의 심의 과정에서는 민생예산 삭감분을 보전하라는 요구 이상을 하기 어렵다. 앞에서 언급한 것처럼 한국이 OECD 회원국 값을 하려면 지금보다 110조 원 이상의 재정을 더 사회복지에 지출해야 한다. 정기국회 대응도 중요하지만 여기선 '작은 전투'만 허용될 뿐이다.

이제 국가재정의 체계가 변화한 만큼 진보운동의 활동방식도 바뀌어야 한다. 전략에는 전략으로 맞서야 한다. 가장 먼저 대응해야 할 대상은 국가재정전략회의다. 이를 위해 개별적인 복지 사안을 요구할 것이 아니라 진보적 대안 재정 전략을 준비해야 한다. 대안 재정 전략에는 정부총지출 규모 · 분야별 재정 배분 · 전략적 핵심사업 · 재원조달 방안 등이 포함될 것이다. 진보적 가치를 담기 위해 재정 지출 목표로 '복지 재정액', 일반시민이 체감할 수 있는 생활지표 목표로는 '사회임금', 구체적인 실천 방안으로 사회복지세 도입 및 건강보험료 인상 등을 제시할 수 있다. 이는 결론격인 17장에서 자세히 다루어질 것이다.

5
장

국가재정 전략사업 남발이 가능한 이유

프로그램 예산제도의 위력

당신 앞에 293조 원의 돈이 있다. 국회에서 확정된 2010년 정부총지출 금액이다. 만약 당신이 기획재정부 장관이라면 이 돈을 가지고 예산안(기금운용안 포함)을 어떻게 짜겠는가? 이 천문학적 금액의 지출을 위해서는 일정한 예산편성틀이 필요하다. 이제 어떤 방식으로 예산안이 편성되는지 살펴보자.

전체 정부 사업들, 16개 분야로 헤쳐 모여!

근래 한국의 예산편성 방식이 크게 바뀌었다. 2006년까지 예산편성은 각 부처가 구체적인 예산항목을 수립하여 예산당국에 제출하면 예산당국이 전체 세입규모 수준에서 이를 조정하는 방식으로 진행되었다. 각 부처의 세부 사업들을 모은 것이 사실상 다음해 정부예산안의 기본 골격을 이룬 셈이다. 이러한 예산편성을 상향식Bottom-up 혹은 '부처요구 · 중앙편성 방식'이라고 부른다. 나름 합리적으로 보이지만 올해 지출 체계가 다음해에 그대로 반복된다는 한계를 지닌다. 재정에 '국정전략'이 개입하기 어려운 예산편성 체계다.

정부가 국정운영자로서 국정전략을 재정에 반영하기 위해서는 이에 걸맞은 예산편성 시스템이 필요하다. 과거처럼 수천 개의 세부 사업들을 아래로부터 모아 정부 지출 체계를 짜는 것이 아니라, 거꾸로 위로부터 전략적으로 분야별 지출 규모를 정하고 이 범위 내에서 세부 사업들을 조정해 나가야 한다. 이러한 전략적 예산편성을 하향식Top-down 혹은 '총액배분 · 자율편성 방식'이라고 부른다.

복지 지출을 획기적으로 늘리고 싶은가? 그렇다면 특정 사업 몇 개를 강조하는 것보다는 재정이 허락하는 범위 내에서 복지 분야 전체 증가액을 먼저 배정하고 이 한도 내에서 세부 복지 사업 지출을 조정하라는 것이다. 이러한 전략적 재정 배분을 위해 새롭게 도입된 예산편성 방식이 '프로그램 예산제도'다. 이는 재정 지출을 부처별로 구분하지 않고 정책 목표가 유사한 사업activities들을 하나의 프로그램으로 통합하여 편성하는 것을 의미한다. 앞에서 지적했듯이 프로그램 예산제도는 정부의 재정 지출 편성이 '예산'이었던 용어 관행을 따른 것으로 실제로는 예산과 기금을 모두 포괄한다.

이제 개별 사업들은 부처별, 회계별(일반회계, 특별회계, 기금) 틀을 넘어 특정 '분야'에 속하게 된다. 다음 〈표7〉에서 보듯이, 현재 중앙정부의 약 9,000개의 부처 사업들은 일반공공행정 · 국방 · 교육 · 사회복지 등 16개 분야로 구분되어 '헤쳐 모인다'. 예를 들어 8번 사회복지 분야는 보건복지가족부 일반회계를 재원으로 하는 기초생활보장 부문, 노동부에서 관리하는 고용보험기금의 노동 부문,

국토해양부 국민주택기금의 주택 부문 등 총 9개의 부문 사업으로 구성된다.

〈표7〉 국가재정 프로그램 예산제도: 16분야 69부문

1 일반공공행정
- 1-1 입법 및 선거관리
- 1-2 국정운영
- 1-3 지방행정 · 재정 지원
- 1-4 재정 · 금융
- 1-5 정부자원관리
- 1-6 일반행정

2 공공질서 및 안전
- 2-1 법원 및 헌재
- 2-2 법무 및 검찰
- 2-3 경찰
- 2-4 해경
- 2-5 재난방재 · 민방위

3 통일 · 외교
- 3-1 통일
- 3-2 외교 · 통상

4 국방
- 4-1 병력운영
- 4-2 전력유지
- 4-3 방위력개선
- 4-4 병무행정

5 교육
- 5-1 유아및 초중등교육
- 5-2 고등교육
- 5-3 평생 · 직업교육
- 5-4 교육일반

6 문화 · 체육 및 관광
- 6-1 문화예술
- 6-2 관광
- 6-3 체육
- 6-4 문화재
- 6-5 문화 및 관광 일반

7 환경
- 7-1 상하수도 · 수질
- 7-2 폐기물
- 7-3 대기
- 7-4 자연
- 7-5 해양환경
- 7-6 환경 일반

8 사회복지
- 8-1 기초생활보장
- 8-2 취약계층지원
- 8-3 공적연금
- 8-4 보육 · 가족 및 여성
- 8-5 노인 · 청소년
- 8-6 노동
- 8-7 보훈
- 8-8 주택
- 8-9 사회복지 일반

9 보건
- 9-1 보건의료
- 9-2 건강보험
- 9-3 식품의약안전

10 농림수산식품
- 10-1 농업 · 농촌
- 10-2 임업 · 산촌
- 10-3 수산 · 어촌
- 10-4 식품업

11 산업 · 중소기업 에너지
- 11-1 산업금융지원
- 11-2 산업기술지원
- 11-3 무역 및 투자유치
- 11-4 산업 진흥 · 고도화
- 11-5 에너지 및 자원개발
- 11-6 산업 · 중소기업 일반

12 교통 및 물류
- 12-1 도로
- 12-2 철도
- 12-3 도시철도
- 12-4 해운 · 항만
- 12-5 항공 · 공항
- 12-6 물류 등 기타

13 통신
- 13-1 방송통신
- 13-2 우정

14 국토 및 지역개발
- 14-1 수자원
- 14-2 지역 및 도시
- 14-3 산업단지

15 과학기술
- 15-1 기술개발
- 15-2 과학기술연구지원
- 15-3 과학기술일반

16 예비비
- 16-1 예비비

〈별도〉
1 R&D
2 정보화

〈그림4〉는 2009년 프로그램 예산제도 중 8번 사회복지 분야 일부를 떼어 온 것이다. 예를 들어 보건복지가족부가 주관하는 기초생활보장 생계급여사업은 사회복지 분야(080)에 속하며 자신의 주소를 분야-부문-프로그램-단위사업-세부사업 순서로 예산시스템에 등록한다. 국토해양부도 국민주택기금에 속하는 분양주택지원 사업도 동일한 체계를 거쳐 사회복지 분야(080) 사업으로 배치한다.

〈그림4〉 2009년 프로그램 예산제도

	분야	부문	프로그램	단위사업	세부사업
예산체계	사회복지 080				
		기초생활보장 081			
			기초생활보장급여		
				기초생활급여(일반회계)	
					생계급여
					주거급여 …
		주택 088			
			주택시장안정및주거복지향상		
				분양주택지원(주택기금)	
					공공분양
					후분양주택
개수	16	69	748	3,224	8,865

예를 조금 더 보자. 2010년 정부예산안에 의하면, 행정안전부가 공무원연금 적자 보전을 위해 배정한 예산이 약 9,000억 원이다. 이 지출은 부처별 예산체계로 보면 행정안전부 예산이지만 프로그램 예산제도에서는 복지 분야에 속한다.

군인연금도 동일한 경우다. 2010년에 약 2조 원이 지출될 군인연금 급여는 국방부 예산이지만 프로그램 예산제도에선 복지 분야 지출에 속한다. 따라서 정부가 다음 해 정부총지출 배분을 발표할 때도 공무원연금, 군인연금 지출액은 각각 행정 분야, 국방 분야가 아니라 복지 분야 지출로 계산된다.

이제 개별 정부사업들은 두 개의 주소를 가진다. 이전에는 최종 주소가 '부처'였지만 이제는 '분야'라는 새로운 주소를 얻게 된 것이다. 국민주택기금의 분양주택지원사업의 경우 소관 부처는 국토해양부지만 정부총지출에선 복지 분야로, 기초생활보장 생계급여사업은 보건복지가족부 부처 소관이면서 분야로는 복지 지출에 포함된다. 이렇게 해서 3,000개에 이르는 중앙정부의 단위사업들이 부처 경계를 넘어 총 16개 분야로 재구성된다.

복지 지출 규모가 궁금하면 부처가 아니라 분야를 보자

올해 복지 지출이 얼마인지 알고 싶으면 어떤 자료를 보아야 할까? 보건복지가족부 예산안? 물론 이 자료도 보아야 한다. 하지만 더 중요한 것은 프로그램 예산제도에 따라 재구성된 복지 분야 지출 규모다. 한국에서는 8번 사회복지 분야와 9번 보건 분야를 합친 금액이 복지 지출로 정의된다. 당신이 정부 디지털 예산회계 시스템 앞에 앉아 8번과 9번으로 시작되는 사업들을 모두 모으면 전체 정부총지출 중 복지 지출 금액이 도출될 것이다(하지만 당신은 물론 국회의원도 접근 권한이 없다. 정부만이 이 시스템을 독점하고 있다!).

이렇게 복지 지출에는 보건복지가족부의 보건복지, 국토해양부의 주거복지, 여성부의 여성복지, 노동부의 고용복지 등이 통합 계산된다. 예산으로는 6개 부처 일반회계와 5개 특별회계, 기금으로는 9개 부처 17개 기금 등 총 28개 금고가 여기에 속한다. 이렇게 해서 최종 복지 지출은 9개 부처 159개 단위사업으로 이루어진다.

프로그램 예산제도가 도입된 이후 우리 주변에서 정부재정 지출 수치를 두고 종종 혼란이 생긴다. 과거 부처별 예산 체계만 존재했을 때, 복지 예산은 복지부 예산과 동일시되었다. 하지만 이제는 부처별 항목은 관리 소재지를 말해 줄 뿐이다. 실제 규모를 알고 싶다면 '분야별' 지출을 보아야 한다. 2010년 정부총지출 내역을 보면, 전체 규모는 293조 원이고 이 중 복지 지출은 81조 원이다. 부처 예산과 혼동하면 안 된다. 보건복지가족부가 관리하는 2010년 부처 지출은 31조 원일 뿐이다. 이 금액은 보건복지가족부 공무원에게는 중요한 수치이지만 시민들에게 중요한 것은 '복지 분야'에 배정된 81조 원이다.

프로그램 예산제도는 노무현 정부의 '디지털 예산회계 시스템' 도입으로 가능해졌다. 부처 담당관이 자신이 맡은 사업에 프로그램 예산제도의 코드 번호를 매겨 등록하고, 기획재정부 총괄담당관이 코드 번호에 따라 사업들을 모으면 분야별 지출 총액이 도출된다. 현재 모든 사업이 중기사업계획과 함께 입력되고 있으므로 자동으로 분야별 5년 중기재정운용계획도 알아낼 수 있다.

그런데 프로그램 예산제도가 정부에 의해 임의적으로 관리되고 있어 프로그램 구성의 타당성이 충분히 검증되지 못한 상태다. 특히 개별 사업들이 각각 걸맞은 분야 주소를 배정받았는지가 문제다. 만약 복지라고 보기 어려운 사업임에도 8번 분야로 등록된다면, 전체 복지 지출이 그만큼 늘어나는 것으로 귀결되기 때문이다.

예를 들어 국민주택기금은 2010년에 주택구입자들에게 주택구입융자금으로 1.6조 원을 지출했다(1년 거치 19년 상환). 이 금액은 모두 복지 분야 지출로 계산됐다. 이 돈은 순수 복지사업 지출이 아니라 이후 돌려받는 융자 지출이다. 과연 이 금액이 복지 지출로 포함되어도 괜찮은 걸까? 이 문제에 대해서는 11장과 12장에서 자세히 다룰 것이다.

총액배분 프로그램 예산제도의 장 · 단점

이제 다시 처음 질문으로 돌아오자. 당신은 293조 원의 돈을 어떤 방식으로 편성하겠는가? 전략적으로 재정을 운용하고 싶은가? 다행히 지금 그것을 뒷받침해주는 재정편성 인프라가 마련되어 있다. 바로 프로그램 예산제도다.

〈표8〉은 두 가지 예산편성 방식을 비교 정리한 것이다. 국가재정법 제정 이전에는 부처별 상향식이었으나 이후 총액배분 하향식 방식이 적용되고 있다. 국가재정은 정권의 중요한 국정운용 수단이다. 따라서 정부가 자신의 국정운용전략을 재정 분야에 반영하기 위해서는 예산편성도 하향식 총액배분 방식을 취해야 한다.

또한 총액배분 프로그램 예산제도는 상향식 예산편성이 초래하는 부처 이기주의를 극복할 수 있다. 상향식 방식에서는 부처별로 예산안을 크게 잡을수록 좋다는 다다익선 관행이 존재했다. 어차피 상위 부처에서 삭감될 것을 예상해 가능한 예산 요구를 늘렸고, 정보가 부족한 예산당국이 이를 실질적으로 심의하지 못할 경우 예산의 비효율적 지출을 낳을 수 있었다. 이제는 총액배분 방식에 따라 국가재정전략회의에서 분야별 · 부처별 예산 한도가 먼저 정해지고, 부처는 그 한도 내에서 자신의 구체적 사업을 정비해야 한다.

〈표8〉 예산편성 제도 비교

	부처별 상향식(Bottom-up)	총액배분 하향식(Top-down)
과정	각 사업 → 분야별 · 부처별 → 예산총액	예산총액 → 분야별 · 부처별 → 각 사업
특징	개별 사업 위주, 단기재정운용	거시적 전략 위주, 중기재정운용
단점	중기 재정 전략 수립 어려움	정부 재정 전략 통제장치 취약
대응	사업별 대응	전략적 재정 배분 대응

하지만 앞서도 지적했듯이, 총액배분 프로그램 예산제도가 항상 긍정적인 효과를 보장하는 것은 아니다. 이 역시 정부의 성격이 중요하다. 만약 시대적 가치를 반영하지 않고 분야별 지출 한도가 정해질 경우 그 분야의 지출은 정체되어야 하는 운명을 맞는다.

프로그램 예산제도가 정부에 의해 독점 관리되고 있는 것도 심각한 문제다. 현재 분야별 분류는 정부가 설계하는 디지털 예산회계 시스템에 의해 이루어지고, 자료 열람을 위한 시스템 접근권도 행정부 외부에는 패스워드를 가진 소수의 국회담당관에게만 허용된다. 과연 16개 분야로 구분하는 것이 적절한지, 복지 분야 지출은 객관적으로 계산된 것인지, 정부의 발표에만 의존해야 하는 상황이다.

프로그램 예산제도, 국가재정 전략사업을 남발하게 하다

'정치'를 해야 하는 정권에게 국정 사업은 무척 중요하다. 프로그램 예산제도의 가장 큰 특징은 '부처'가 아니라 '사업'을 중심으로 예산편성이 이루어진다는 점이다. 따라서 몇 개의 구체적 사업들을 모아 '국정전략사업'으로 포장하는 데 프로그램 예산제도가 유용하게 쓰일 수 있다. 특히 이명박 정부에서 프로그램 예산제도가 악용되어 국가재정 전략사업들이 남발되고 있다. 녹색성장5개년 전략을 마련하고 싶은가? 부처 사무관들에게 자신이 담당하는 사업의 어떤 부분에서든 녹색 비슷한 빛깔이 보인다면, 'Green' 코드를 붙이라고 지침을 내리면 된다. 그리고 예산당국이 디지털 예산회계 시스템에서 그린 코드 사업을 모으면 멋있는 5개년 녹색성장 로드맵이 나온다.

'4대강 사업'을 전략적으로 추진하고 싶은가? 부처 관료들에게 자신이 주관하는 사업 주위에 강물이 흐른다면 모두 '4대강' 코드를 넣으라고 지시하면 된다. 4대강 사업을 뽐내고 싶은가? 그러면 22.2조 원의 본 사업비에 간접 사업비까지 합해 30조 원이라고 말하면 된다. 비판이 거세 규모를 축소하고 싶다고? 그러면 연계 사업비 5.3조 원을 제외하고 16.9조 원이라고 주장하면 된다. 더 줄이고 싶다고? 아예 환경부, 농림수산식품부 지출을 빼고 국토해양부 지출 15.3조 원만 4대강 사업이라고 우겨도 된다. 이 모두 프로그램 예산제도를 악용해 이명박 정부가 하는 꼴이다. 어떠한 제도든 명암을 가지기 마련이다. 제대로 감시하고 비판하기 위해서도, 그리고 앞으로 제대로 사용하기 위해서도 현행 프로그램 예산제도를 정확하게 이해하는 것이 중요하다.

6
장

중기재정운용계획,
경제개발5개년계획의 자리를 차지하다

이제 한국의 국가재정에도 전략 개념이 도입되었다. 국가재정 편성권을 가진 정부는 자신의 국정운영 전략에 따라 분야별로 재정 지출 규모를 배분하고, 다시 이것을 5년 동안 확장한 중기재정운용계획을 작성한다. 이러면 앞으로 국가재정 지출이 어떻게 이루어질지 거의 윤곽이 잡히게 된다.

재정을 재정답게, 중기재정운용계획

필자는 중기재정운용계획이 도입되면서 비로소 재정이 재정다워졌다고 생각한다. 근래까지 한국의 국가재정 운용은 단년도 방식으로 이루어졌다. 이 틀에서는 정부의 예산편성이 다음해 예산증가율 혹은 경제성장률이 기술적으로 반영되는 '전년 답습식'으로 이루어졌다. 만약 내년 정부 수입이 5% 증가하면 각 부처

사업이 그만큼 늘어나는 방식이다.

단년도 재정운용은 시장경제의 경기순환과 동행하는 문제를 안고 있었다. 〈그림5〉에서 보듯이 정부는 경기호황 시에는 더 걷힌 세금만큼 다음 해에 지출하고, 반대로 경기불황 시에는 세금이 줄어든 만큼 지출을 축소하는 '경기 동행식 재정운용'에 안주했다. 그 결과 시장 경기가 가열되어 진정제가 필요할 때는 재정이 투입되어 거품을 부풀리고, 경기가 침체되어 영양제가 필요할 땐 오히려 재정 지출이 줄어들었다. 국가재정이 시장의 경기순환 변동성을 제어하기보다는 증폭시키는 역할을 하는 것이다.

〈그림5〉 중기재정운용(지출)의 경기 조정

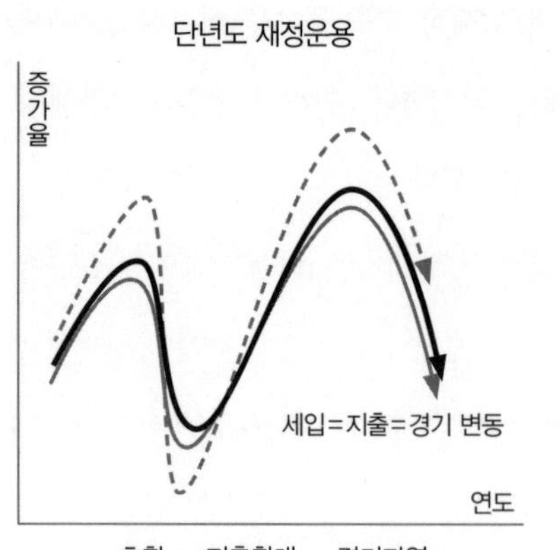

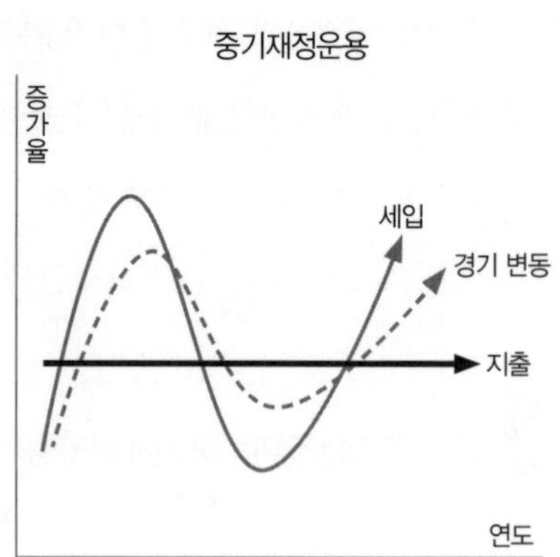

출처: 기획예산처(2004), 〈국가재정법(안) 주요내용〉.

원래 정부의 재정은 시장의 흐름과 거꾸로 가는 게 바람직하다. 〈그림5〉의

'중기재정운용' 그림에서 보듯이 정부는 호황일 때 지출을 자제해 경기안정에 기여하고, 불황일 때는 재정 적자를 감수하면서도 재정 지출을 늘려 경기부양을 도모해야 한다. 이를 위해서 중기재정운용은 중기 평균 경제성장률을 기준으로 놓고 단년도 재정 지출을 탄력적으로 조정한다. 보통 이것을 재정의 '자동안정화' 효과라고 부른다. 독일 · 영국 · 캐나다 · 스웨덴 등에서는 중기재정운용계획을 수립하고 이것을 단년 예산 수립의 토대로 삼고 있다.

국내에서도 단년도 재정운용 방식을 넘어서야 한다는 목소리가 있었고, 실제 중기재정운용이라는 개념도 존재했다. 1982년에 정부의 경제운영 전략과 예산편성의 연계성을 높이기 위하여 '중기재정계획 제도'가 예산회계법에 명시되었다. 하지만 이 조항은 임의규정에 불과했다. 실질적인 중기재정운용계획도 마련되지 않았다. 매번 새 정부가 출범할 때마다 집권 첫해 국가운용 전략을 밝히는 취지에서 중기재정운용 방향이 제시되었으나, 내용도 개략적인 수준이고 연도별 예산편성과 연계된 것도 아니어서 '국정 전략 홍보용'일 뿐이었다.

마침내 노무현 정부 출범 직후 국가재정 체계에 대한 근본적인 재검토가 이루어졌다. 노무현 대통령은 자신의 국정 포부를 재정에 담고 싶었다. 이에 2004년부터 자발적으로 매년 중기국가재정운용계획을 짜기 시작했고, 2006년에 국가재정법을 제정하면서 이것을 의무화했다. 이제 한국에서도 실제 단년 예산안 수립에도 기준이 되는 중기재정운용 체계가 마련된 것이다. 그리고 앞서 강조했듯이 전략적 재정 배분과 중기재정운용계획을 사실상 정하는 곳이 국가재정전략회의다.

<표9> 국가재정 운용계획의 변화

	단년도 예산제도	종래 중기재정계획	중기재정운용계획
기간	1948~2006년	1982~2006년	2007년 이후
목적	연도별 균형예산	재정운용 방향 제시	전략적 재정 배분 실행
실효성	당해연도 국한	재정운용 참고 자료	중기 재정 배분 토대
경기조정 효과	경기 동행	경기 동행	경기 자동조정
법적 근거	의무	임의	의무

중기재정운용계획, 누가 짜느냐가 관건

한국의 국가재정에서 중기재정운용 체계가 도입된 것은 획기적인 일이다. 국가재정이 '국정운용전략'을 담을 수 있고, 경기 동행적 재정 지출의 한계도 보완할 수 있게 됐다. 하지만 중기재정운용 체계가 반드시 긍정적인 효과를 보장하는 것은 아니다. 경우에 따라서는 독이 될 수도 있다.

첫째, 중기재정운용계획이 중요한 만큼 이를 추진하는 정부의 성격이 관건이다. 어떤 정부가 재정 전략을 수립하느냐에 따라 재정의 정치적 성격이 달라지기 때문이다. 한국 국가재정의 핵심 문제는 직접세 수입이 적고, 사회복지 분야 지출이 적다는 점이다. 따라서 중기재정운용계획을 마련할 때 직접세율을 상향하고 사회복지 지출을 늘리는 전략적 배분이 필요하다. 만약 이러한 선택이 '전략적'으로 거부될 때 한국의 재정운용 구조는 기존 틀에 더욱 갇히게 된다. 게다가 이명박 정부의 '747공약(7% 경제성장, 국민소득 4만 달러, 7대 경제 강국)'에서 알

수 있듯이, 선거 포퓰리즘으로 만든 경제전망 수치가 재정운용계획 작성에 반영될 경우 국가재정의 안정성마저 크게 훼손될 수 있다. 급기야 이명박 정부는 '부자 감세'로 초래된 재정수지 적자를 재정 지출 억제를 통해 해소하려는 중기재정운용을 펼치고 있다.

둘째, 정부의 중기재정운용 편성 체계가 강화된 것에 비해 국회의 심의 체계는 턱없이 허술하다. 2010년 현재 국가재정법은 행정부에게 중기재정운용계획을 예산안과 함께 정기국회에 제출하도록 명하고 있다. 그런데 예산안과 달리 중기재정운용계획안에 대한 국회 심의는 이루어지지 못하고 있다. 예산안 심의가 국회 상임위원회에서 부처별로 진행되다 보니 부처를 뛰어넘어 분야별로 재구성된 지출안, 이를 토대로 만드는 중기재정운용계획은 국회에서 참고자료로도 이용되지 못하는 형편이다. 중기재정운용계획에서 정부의 '편성권'은 있지만 국회의 '심의'는 없는 상태다.

국가재정법에 따라 이명박 정부도 중기재정운용계획을 수립해 국회에 제출해야 한다. 중기재정운용계획안에는 재정 수입 및 지출, 분야별 재정 배분, 재정수지 및 국가채무 관리 계획 등이 담긴다. 〈표10〉은 이명박 정부가 국회에 제출한 〈2009~2013년 국가재정운용계획안〉에 담긴 분야별 재정투자 계획안이다.

여기서 분야별 항목을 눈여겨 보자. 〈표10〉에서 정부총지출은 12개 분야로 정리되어 있다. 프로그램 예산제도가 정부 지출을 16개 분야로 구성하는데, 왜 12개 분야만 제시되었는지 의아할 것이다. 정부는 국민에게 발표하고 국회에 제출하는 예산안 설명 자료에서 프로그램 예산제도의 16개 분야를 다시 12개로 간소화한다. 게다가 12개 분야에 속한 R&D는 원래 프로그램 예산제도에 속한 16

개 분야 중 하나가 아닌데도, 정부가 이를 강조하기 위해 각 16개 분야에 포함되어 있는 R&D예산을 다시 합산해 제시한 것이다. 정부는 재정 지출을 국민에게 간편하게 알리려는 취지라고 해명하지만 정부의 예산편성 현황을 이해하는 데 오히려 혼란만 주고 있다. 이렇게 정부는 프로그램 예산제도 사용을 독점하면서 수천 개의 부처 사업들을 16개 분야로 편성하든, 다시 12개 분야로 재구성하든, 여기에 R&D 지출을 재산정하든 자신이 편한 대로 활용하고 있다.

〈표10〉 2009~2013년 분야별 재정투자계획안 (단위: 조 원, %)

구 분	2009	2010	2011	2012	2013	연평균 증가율
1. R&D	12.3	13.6	14.9	16.6	18.4	10.5
2. 산업 · 중소기업 · 에너지	16.2	14.4	15.1	15.9	17.0	1.3
3. SOC	24.7	24.8	25.3	25.9	26.7	2.0
4. 농림수산식품	16.9	17.2	17.4	19.2	17.6	1.2
5. 보건 · 복지	74.6	81.0	85.3	90.7	96.9	6.8
6. 교육	38.2	37.8	40.7	44.3	48.3	6.0
7. 문화 · 체육 · 관광	3.5	3.7	3.8	3.9	4.0	3.4
8. 환경	5.1	5.4	5.5	5.7	5.8	3.5
9. 국방(일반회계)	28.5	29.6	30.9	32.3	33.7	4.2
10. 통일 · 외교	3.0	3.4	3.4	3.4	3.4	3.6
11. 공공질서 및 안전	12.3	12.9	13.2	13.7	14.0	3.3
12. 일반행정	48.6	49.5	52.7	54.0	54.8	3.0
총지출	284.5	291.8	306.6	322.0	335.3	4.2

출처: 기획재정부(2009b), 〈2009~2013년 국가재정운용계획(안)〉.

어찌되었든 정부가 발표한 중기재정운용계획안을 보자. 〈표10〉을 보면 한국의 국가재정 지출은 2009년 284.5조 원에서 2013년 335.3조 원으로 늘어난다. 평균 증가율이 4.2%다. 이는 동일 기간 국가재정 수입의 평균 증가율 5.6%에 비해 1.4%가 낮은 수준이다. 앞으로 그만큼 흑자를 기록해 2013년부터 재정균형을 달성하겠다는 로드맵이다.

과연 재정균형이 바라는 대로 현실화될 수 있을까? 우선 수입을 보자. 세제를 개편하지 않는 한 재정 수입은 경제성장률에 따라 좌우된다. 보통 명목경제성장률이 1% 증가할 때마다 세수가 약 1.5~2조 원 확보된다고 한다. 이명박 정부가 잡은 연평균 실질경제성장률 목표가 약 5%이고 중기 물가상승률 예상치가 2.6%이므로, 명목경제성장률은 7.6%에 이른다. 매년 경제성장을 통해 11~15조 원의 세수가 증가되는 것이다. 결국 재정수지가 2013년에 균형에 도달하기 위해서는 앞으로 연평균 5%의 실질경제성장률이 달성되어야 한다. 이명박 정부가 4대강 사업이나 부동산시장을 통한 경기부양에 목을 매는 이유가 여기에 있다.

재정 지출의 내용은 어떨까? 이명박 정부가 향후 5년간 설정한 재정 지출의 평균 증가율이 4.2%이다. 이는 어떻게 평가해야 할까? 재정 지출 규모를 읽을 때 염두에 두어야 할 것이 물가상승률이다. 이번 중기재정운용계획안에 담긴 재정 지출의 실질증가율은 물가상승률 2.6%를 공제한 1.6%일 뿐이다. 이명박 정부는 2013년까지 5%의 실질경제성장률을 전망하면서도, 재정 지출의 실질증가율은 1.6%로 한정했다. 재정 지출의 고삐를 죄겠다는 것이다. 결국 이번 중기운용계획안은 재정수지 적자에 몰린 이명박 정부가 재정 지출을 통제하겠다는 신호탄이다. 이명박 정부의 공약이 작은 정부론이었던 것을 기억하면 새삼스러운 것도 아니다.

진보 정권이라면 어떻게 배분했을까?

다음으로 눈여겨 보아야할 것이 '분야별 증가율'이다. 〈표10〉을 다시 보면, 평균 지출증가율이 4.2%인데 반해 분야별 증가율은 1.2~10.5%로 매우 다르다. 정부의 전략적 재정 배분이 낳은 결과다.

진보 진영의 주된 관심인 복지 분야를 살펴보자. 재정 지출 분야 중에서 가장 많은 금액이 복지에 배정되었다. 2013년 96.9조 원으로 100조 원에 육박하고 평균 증가율도 6.8%로 전체 증가율 4.2%보다 높다. 아마 이명박 정부는 앞으로 5년간 매년 역대최고 복지 지출이라고 노래를 부를 것이다. 정말 그럴까?

복지에는 구조적으로 늘어나는 제도적 증가분이 있다. 예를 들어 연금수급자가 늘어나면 자동으로 연금 지출이 증가한다. 사회복지가 형성기에 있는 나라에서 발생하는 일이다. 4대 공적연금 · 기초노령연금 · 건강보험 · 고용보험 · 산재보험 등이 대표적 영역이다. 2011년에도 전체 제도적 증가분이 3조 원을 넘어 복지 지출 총액의 4%에 육박한다. 따라서 평균 6.8%의 복지 지출 증가율에서 제도적 증가분인 4%를 공제하면 실제 정부의 정책의지가 작용하는 복지 지출 증가는 3%에 불과하다. 그런데 물가상승률이 2.6%이다. 결국 제도적 자연증가분을 빼고 물가상승률을 감안하면 다른 정책적 복지 사업은 계속 제자리걸음 하겠다는 중기재정운용계획안이다.

과연 한국의 복지 지출은 적절한 수준일까? 2009년 중앙정부의 복지 지출 규모가 80.4조 원이다. OECD 기준으로 재산정하면, 필자의 계산으로 아무리 후하게 잡아도 100조 원이 넘지 않는다. 대략 GDP 9%대에 머물고 있다. OECD 평균은 약 GDP 20%이다. 한국의 복지 지출은 OECD 평균과 비교해 GDP 기준으로는 11% 포인트, 금액으로는 약 110조 원이 부족하다. 한국이 OECD 회원 값을 하려면 2009년에 110조 원을 복지 지출에 더 배정했어야 했다는 이야기다. 까마득하다고? 진보 정권이 필요한 이유다. 만약 진보 정권이 중기재정운용계획을 짰으면 복지 지출을 어떻게 설정했을까? 잠시 직접 전략적 재정 배분을 해보는 '즐거운 작업'을 해보기 바란다.

중기재정운용계획을 반기면서도 씁쓸한 이유

한국 현대사에 경제개발5개년계획이라는 것이 있었다. 1962년 시작되어 5년 단위로 운용되다 1997년 종료된 정부의 중기경제정책계획이다. 민간자본이 미약한 시기라 정부가 핵심 산업주체 역할을 했던 셈이다.

하지만 이제 한국의 경제정책에서 민간독점자본이 주도적 지위를 차지하고 있다. 국가는 '비즈니스 프렌들리'라는 명찰을 달고 그 옆을 보좌한다. 경기도 파주시에 있는 'LCD단지'에서 반도체 투자를 결정하는 주체는 LG자본이고, 정부는 재정을 들여 공장 앞 도로를 만들어 준다. 과거에 경제개발5개년계획이 있었다면 그 자리를 이제 중기재정운용계획이 대신하고 있는 셈이다. 국가재정 체계는 개선되었지만 국가의 역할은 작아지고 있다. 중기재정운용계획을 반기면서도 한편 씁쓸한 이유다.

7
장

재정건전화 프레임이 적용된 2010년 정부총지출안

근래 국가재정 논의에서 가장 주목해야할 대목은 한국사회에서 처음으로 재정건전성 의제가 중요한 정세 변수로 등장했다는 점이다. 한국은 전통적으로 부채에 대한 비판의식이 강한 나라다. 그래서인지 재정 적자에 대한 우려가 크다. 이명박 정부는 2013~2014년까지 재정균형에 도달하겠다는 계획을 가지고 있다. 정부가 제시하는 재정균형 달성 수단은 높은 경제성장과 재정 지출 통제다. 경제성장을 통해 가능한 재정 수입을 늘리고, 재정 지출 증가율을 재정 수입보다 낮게 관리해 나가겠다는 것이다. 이는 사회공공예산 확충을 주장해 왔던 진보 세력에게 큰 도전이다. 실제 2010년 정부총지출 293조 원은 전년도 302조 원에 비해

● 2010년 예산안 비판에 참고한 자료는, 기획재정부(2009a), 〈2010년 예산 · 기금안 주요 내용〉(2009. 9. 28), 기획재정부(2009b), 〈2009~2013년 국가재정운용계획(안)〉 (2009. 9. 28), 기획재정부(2009c), 〈2010년 국세 세입예산안〉 (9. 23) 등이다.

9조 원이 감소한 것이다. 2010년 정부총지출안을 되돌아 살펴보며 앞으로 비슷하게 재현될 미래를 점검해 보자(기획재정부 2009a, 2009c, 2009d).●

평가 1 – 재정 규모 변화: 2010년 정부총지출, 전년 대비 증가한 것이 아니라 감소한 것!

다음 해의 예산안을 평가할 때 가장 핵심적인 수치가 규모 변화다. 정부는 국회에 2010년 정부총지출액으로 291.8조 원을 요구하면서(국회는 1조 원을 늘려 292.8조 원으로 의결), 이는 2009년 본예산(실제는 '정부총지출'이나 관행적 표현이라 그대로 사용함) 284.5조 원에 비해 7.3조 원 증가한 것이라고 홍보했다.

하지만 이 주장에 현혹되지 말아야 한다. 정부가 2010년 정부총지출안의 증감을 계산하면서 삼은 기준은 2008년 12월 정기국회에서 의결된 '2009년 본예산' 금액이다. 그런데 본예산 확정 이후 2009년 4월 추경예산이 대폭 증액되어 실제 2009년 정부총지출 금액은 301.8조 원으로 늘어났다. 따라서 2010년 정부총지출안의 증감은 전년도 실제 정부총지출액을 기준으로 계산되어야 한다. 역대 정부들도 모두 실제 지출액인 추경예산을 기준으로 다음해 증감을 발표해 왔다. 그럴 경우 정부가 국회에 제출한 2010년 정부총지출 291.8조 원은 2009년 보다 10조 원, 3.3% 포인트 감소한 금액이다.

이명박 정부가 기본적인 상식까지 어기며 본예산 기준을 고집하는 이유는 2010년 예산안이 전년보다 증가한다는 착시 현상을 유도하기 위한 것이다. 민생예산이 삭감되었다는 것을 드러내지 않으면서 정부 지출을 줄이려는 것이다. 정부 설명 방식을 따르면, 2010년 복지 지출안 81조 원 역시 2009년 본예산(74.6조 원)보다 6.4조 원 증가한 것이다. 하지만 2009년 정부의 최종 복지 지출액(추경예산)은 80.4조 원이었다. 실제로 2010년 복지 지출 증가액은 0.6조 원뿐이다. 농림수산식품 분야 지출안도 2009년 16.8조 원에서 2010년 17.2조 원으로 0.4조 원 증가하는 것으로 등장한다. 하지만 실제로는 2009년 17.4조 원에서 0.2조 원이 줄어든 것이다.

평가 2 – 재정 수입: 부자 감세로 경제성장에 따른 세입 모두 상쇄

정부의 재정 수입에서 가장 중요한 것이 국세 수입이다. 2010년 국세 수입은 171.1조 원으로 2009년 164.6조 원에 비해 6.5조 원 늘어났다. 증가 금액이 통상 수준에 비해 매우 작다. 왜 이렇게 작아졌을까?

국세 수입은 한 해 새로 창출된 부가가치를 세원으로 징수되므로 경제성장 수준에 결정적인 영향을 받는다. 명목성장률이 1% 증가할 때 국세 수입이 늘어나는 비중을 '국세탄성치'라고 하는데 정부 주장에 따르면 2010년의 국세탄성치는 1.25다. 따라서 2009년 국세 수입 164.6조 원에 2010년 명목성장률 6.6%와 국세탄성치를 곱하면 2010년에 경제성장에 따라 추가 확보되는 세수는 13.6조 원에 이른다.

그런데 이 돈은 바로 사라진다. 2008년 강행된 '부자 감세'로 인해 2010년부터 추가로 줄어드는 세금이 약 13조 원이다. 2010년의 경제성장 효과가 부자 감세로 모두 상쇄되는 것이다. 그런데도 국세 수입 증가분이 6.5조 원인 이유는 어이가 없는 편법을 동원했기 때문이다. 여기에는 이자소득 법인세 원천징수분(금융기관이 수령하는 채권이자소득에 대한 법인세 원천징수분) 5.2조 원이 포함되어 있다. 이 세금은 원래 2011년 세수에 잡힐 것인데 한 해씩 앞당겨 징수할 방침이다. 엄밀히 이야기하면 세수 증가가 아니다. 따라서 2010년 국세 수입 증가분 6.5조 원에서 법인세 원천징수분인 5.2조 원을 제외하면 내년 실제 국세 수입 순증가는 약 1조 원 뿐이다. 이러니 재정건전성 문제가 불거질 수밖에.

평가 3 – 재정 지출: 강력한 지출 통제 시작

2010년 경제성장에 따른 세수 증대 효과가 사실상 없는 상황에서 정부가 쓸 수 있는 카드는 재정 지출 통제밖에 없다. 한편에서 4대강 사업 · 예비타당성 조사 무력화 · 과도한 민자 사업 등 금고 관리를 허술하게 하면서도 나머지 지출은 줄여나갈 것이다.

앞에서 보았듯이, 정부가 제출한 2010년 정부총지출안은 2009년 정부총지출액인 301.8조 원에 비해 꼭 10조 원, 3.3% 포인트 축소된 것이다. 2009년 추경예산에서 고려되었던 사업들에 대한 사회적 수요가 여전히 존재함에도 정부는 전체 지출을 줄이는 일을 감행했다.

재정 지출 통제는 이후 이명박 정부 임기 내내 계속될 예정이다. 정부의

〈2009~2013년 중기재정운용계획안〉을 보면 연평균 정부총지출 증가율은 4.2%다. 같은 기간 정부가 목표로 하는 재정 수입 증가율은 평균 6.6%이다. 향후 재정 적자를 줄여나가기 위해 재정 지출 증가율을 재정 수입 증가율보다 2.4% 아래로 잡은 것이다. 결국 2010년 예산안이나 중기운용계획안은 재정수지 적자에 몰린 이명박 정부가 재정 지출을 통제하겠다는 신호탄이다.

평가 4 – 복지 지출: 자연증가분 제외한 일반 복지 사업 삭감

복지 축소에 대한 비판을 의식한 탓인지, 정부는 예산안을 발표하면서 유난히 복지 지출 증가를 강조한다. 2010년 복지 지출안은 81조 원으로 전년도 본예산에 비해 6.4조 원, 8.6% 증가한다는 것이다. 이는 정부총지출 평균 증가율 2.5%에 비해 세 배 이상 높은 수준이다. 한술 더 떠 정부총지출에서 복지가 차지하는 비중도 27.8%로 역대 최고 수준이라고 강조한다.

우선 복지 비중이 높게 보이는 것은 실제 복지 지출은 큰 변화가 없으나 분모인 정부총지출이 10조 원 줄어들어 발생한 현상이다. 총액으로 보면 2010년 복지 지출안 81조 원은 2009년 80.4조 원에 비해 0.6조 원 증가한 것이다(국회에서 최종적으로 81.2조 원으로 의결). 하지만 2010년 복지 지출 81조 원에는 국민연금 · 건강보험 등의 제도적 자연증가분 3조 원, 사실상 복지 지출로 보기 어려운 보금자리주택 건설 융자사업비 2.6조 원 등 5.6조 원이 포함되어 있다. 그런데 절대증가액은 0.6조 원에 불과하다. 다른 복지 사업에서 5조 원을 가져와 이 금액을 충당해야 한다. 결국 자연증가분이 적용되지 않는 복지 사업 상당수에서 5조 원이 삭감되었다는 이야기다.

향후 복지 지출은 어떠할까? 〈2009~2013년 중기재정운용계획〉에 제시된 복지 지출 평균 증가율이 6.8%다. 그런데 매년 제도적 증가분이 복지 지출 총액의 4%에 달한다. 평균 6.8%의 복지증가율에서 불가피하게 늘어나는 제도적 증가분을 제하면 실제 정부의 정책의지가 작용하는 복지 지출 증가는 3%에도 못 미친다. 그런데 물가상승률이 2.6%이다. 결국 제도적 증가분을 빼고 물가상승률을 감안하면 다른 정책적 복지 사업은 계속 제자리에 머물게 될 것이다. 지금과 같은 방식으론 복지후진국 자리를 벗어날 수 없다.●

평가 5 – 재정균형 달성: 장밋빛 기대, 우려되는 경기부양 거품

이명박 정부는 2013년부터 재정수지를 GDP 1% 이내에서 관리하여 재정균형을 달성하겠다고 말한다. 수입보다 지출 증가율을 낮추어 재정균형에 이르고, 국가채무 수준도 2013년 이후 GDP 30% 중반에서 유지해 나가겠다는 것이다. 이 전망이 실현될 수 있을까? 이것을 위해서 정부는 오직 경제성장률 하나에 승

● 심지어 〈2009~2013년 중기재정운용계획〉에서 2009년 복지 지출이 본예산 금액인 74.6조 원으로 실제 지출액 80.4조 원보다 낮게 설정된 탓에 5년 평균증가율로 계산된 6.8%도 실제보다 다소 높게 계산되었다는 점도 잊지 말자.

부를 걸고 있다. 이를 통해 세수를 확보하겠다는 것이다. 정부는 향후 목표성장률을 2010년은 4% 내외, 2011년 이후는 5% 내외 수준으로 잡고 있다. 이를 통해 매년 14~20조 원씩 세수를 늘리겠다는 계획이다.

하지만 인위적으로 높은 경제성장 수치를 잡았다는 의구심이 제기되고 있다. 정부의 경제성장률 예측이 최근 글로벌 경제위기로 성장잠재력이 낮아지고 있는 추세를 충분히 반영하고 있지 않기 때문이다. 국회예산정책처도 정부 전망치에 회의를 표하고 있다. 국회예산정책처는 향후 5년간 잠재성장률은 3%대 후반, 예상 실질성장률은 4% 안팎으로 잡고 있다. 정부보다 대략 1% 포인트 낮은 수준이다. 그 결과 정부총수입도 정부보다 2011년에는 5.3조 원, 2012년에는 9.9조 원, 2013년에는 11.4조 원 더 낮게 예상했다(국회예산정책처 2009g: 55).

게다가 4대강 사업에 22조 원을 투자하고, 이 과정에서 예비타당성 조사를 무력화시키는 등 정부의 지출관리도 허술하다. 어떻게 이명박 정부가 2013년에 재정균형을 달성할 수 있을까? 높은 경제성장 여부가 승부수다. 정부가 4대강 사업에 집착하는 것도, 부동산시장을 자극하는 것도 결국 경기부양을 통한 성장률 제고 때문이다.

평가 6 – 재정 적자 편법 대응: 공기업채무 전가 및 민영화

재정균형을 달성하기 위해 정부가 동원하는 편법 중 하나가 공기업을 동원하는 일이다. 재정사업 부담을 공기업에게 떠넘겨 재정 지출을 줄이고, 공기업을 매각해 재정 수입을 늘리려 한다. 예를 들어 정부는 4대강 사업비 22조 원 중 8조 원을 한국수자원공사에 넘기고 있다.

이는 단순히 정부와 공기업 간 책임이 분담되는 형식적인 문제가 아니라 사업의 성격이 변하는 중대한 사안이다. 국가재정은 원금 상환을 염두에 두지 않는 순수지출이지만, 공기업 사업은 공사채 원리금을 갚아야 하는 투자활동이다. 국가재정 사업이 공기업 사업으로 전환되면 사업의 성격도 바뀔 수밖에 없다. 4대강 사업은 재해를 예방하고 수자원을 공공적으로 관리하는 것이 아니라 4대강 유역의 개발이익을 위한 난개발로 흐를 위험이 크다. 이 때문에 4대강 사업이 애초 수자원의 공공적 개발이라는 국가전략에 기초하기보다는 건설자본을 위한 비즈니스 프렌들리, 토목 사업을 통한 경기부양책으로 기획되었다는 의혹이 사라지지 않는 것이다.

또한 정부는 공기업 매각으로 재정 수입을 늘리려 한다. 2009년 국정감사 자료에 의하면, 정부는 공기업 민영화를 통해 18조 원의 재정을 확충할 계획이다. 매각 금액이 가장 큰 것은 산업은행(약 8조 원)이고, 이어 기업은행(약 5조 원)이다. 국가 기간자산이 정권의 재정관리 부실을 메우는 수단으로 전락하고 있다.

과제: 지출 통제 프레임을 세입 확대 프레임으로 전환해야

2009년 재정 적자를 계기로 한국사회에 처음으로 재정건전성 변수가 등장했다. 이명박 정부에게 2013년 재정균형 달성은 정권의 명운이 걸려 있는 일이다. 이후 모든 정책이 경기부양을 위해 배치되고, 재정 지출 통제도 엄격해질 것이다.

이는 안정과 균형을 유지하는 경제발전, 복지 재정 지출의 획기적 증가를 요구하는 시민사회와 진보 진영에게 큰 도전이다. 적극적인 예산 대응 활동이 필요하다. 특히 진보 진영은 한국사회에 등장한 재정건전성 문제의 원인이 과다 지출이 아니라 과소 세입에 있다는 점을 부각시켜야 한다. 한 해 GDP를 약 1,000조 원으로 보면 무려 110조 원이 더 늘어야 OECD 회원국 값을 할 수 있다. 그만큼 재정 수입 확대가 중요하다.

이제 진보운동 앞에 재정건전성 문제라는 쉽지 않은 과제가 놓여 있다. 이명박 정부는 재정건전성을 빌미로 재정 지출을 통제해 나갈 것이다. 진보운동은 재정건전성 문제로 설정된 지출 통제 프레임을 공공재정을 확충하기 위한 세입 확대 프레임으로 전환하는 데 온 힘을 기울여야 한다.

3부

한국 조세의 문제와 해법

8
장

한국 조세, 낮은 총직접세가 문제다

한국사회에 재정건전성 담론이 부상했다. 재정건전성은 수입과 지출이 균형을 이루지 못한 데서 비롯된다. 그렇다면 수입과 지출 중 어느 것이 핵심 문제일까?

우리는 이미 한국의 국가재정 규모가 OECD 국가의 평균치에 비해 낮다는 사실을 확인했다. 2009년 한국의 국가재정 총지출 규모는 GDP 33.8%로 OECD 평균 44.8%에 비해 11% 포인트, 금액으로는 약 110조 원이 부족하다. 총량으로만 보면 지출에 문제가 있는 것은 아니다. 재정건전성 문제가 제기되는 근본적 이유는 적은 재정 수입에 있다.

국가재정 수입은 조세 · 기금 · 부담금 · 차입금 등으로 구성되는데, 가장 핵심적인 것이 조세다. 2007년 한국의 조세부담률은 21.0%, 사회보장기여금을 합한 국민부담률은 26.5%이다. 이는 OECD 평균 조세부담률 26.7%, 국민부담률 35.8%에 미치지 못하는 수준이다. 재정 수입 문제를 정면 돌파하는 길은 세금을 올리는 것이다. 그런데 주위를 둘러보면 모두가 세금을 내기 싫어한다. 어떻게 하면 증세를 실현할 수 있을까?

30개 세금으로 이루어진 한국의 조세 제도

2010년 현재 한국에서 국민이 내는 세금의 가짓수는 총 30개다. 다음 〈그림6〉에서 보듯이 중앙정부가 거두는 부가가치세 · 법인세 · 소득세 · 교통에너지환경세 등 국세가 14개이고, 지방정부가 모으는 취득세 · 등록세 · 주민세 · 재산세 등 지방세가 16개다.● 이 중 국세는 다시 통관절차를 필요로 하지 않는 세금인 내국세와 이를 거쳐야하는 관세로 구분된다.

각 세금은 정부의 일반 재원으로 사용되는 보통세와 사용처가 미리 정해진 목적세로 나뉜다. 예를 들어 소득세는 납세자의 소득을 기준으로 부과되어 정부의 일반회계 세입으로 들어온 후 정부의 한 해 지출계획에 따라 사용된다. 이에 반해 목적세는 사용처가 있는, 즉 '꼬리표가 붙은 돈'이다. 예를 들어 2009년에 거둔 교육세 4조 원은 반드시 교육 사업에 사용되어야 하는 목적세다.

2010년 4월 진보신당이 발의한 '사회복지세'도 목적세에 속한다. 이 사회복지세는 상위집단을 대상으로 연간 약 15조 원을 거두어 복지 지출에 쓰고자 하는 세금이다. 반면 이전에 진보정당이 주장했던 부유세는 정부 일반회계 수입으로

● 2011년에 지방세가 11개로 통합되어 전체 세금 수는 25개가 될 것이다.

들어가는 보통세다. 부유 계층들의 재정 책임을 요구한다는 점에서 양 세금이 비슷하지만 사회복지세는 세입과 지출을 결합하는 목적세 형식을 띠고 있는데, 이는 세금의 사용처를 복지 부문으로 한정해 재정 지출에 대한 불신을 넘어서려는 목적을 담고 있다(조승수 2010).●

〈그림6〉 한국의 조세 제도

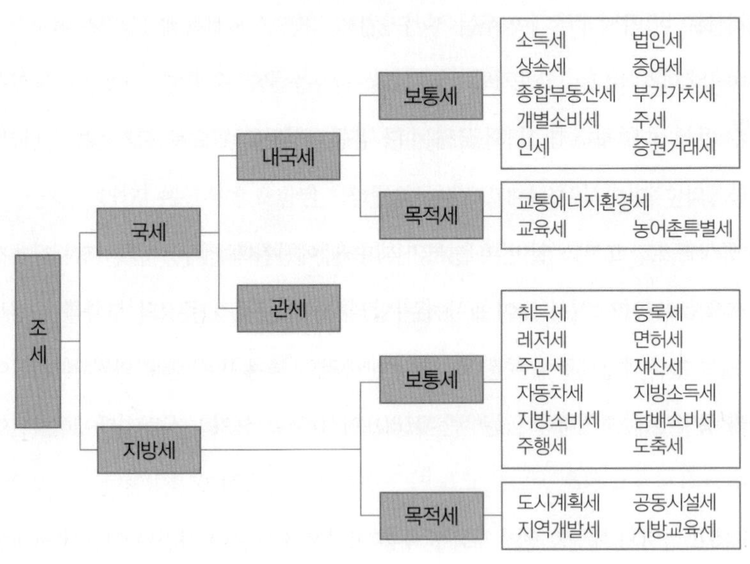

● 진보신당의 사회복지세 내용에 대해서는 조승수(2010), 《조세정의 실현, 복지 예산 확충을 위한 사회복지세 도입 토론회》 (2010. 4)를, 본문에서 다루어지는 주요 세목 관련 수치들은 기획재정부(2009c), 〈2010년 국세 세입예산안〉 (9. 23) 등을 참고했다.

2009년 한국 국민들이 낸 세금은 총 211.7조 원이다. 물론 이외에도 사회보장기여금, 영화 관람료에 포함된 영화발전기금, 교통범칙금, 환경개선부담금 등 국민들이 부담한 돈은 더 있지만 세금 형식으로 납부한 것은 211.7조 원이다. 이 금액이 GDP에서 차지하는 비중, 즉 2009년의 조세부담률은 20.5%다. 한국의 조세부담률은 2001년 18.8%에서 점진적으로 증가해 2007년 21.0%에 이르렀으나 이명박 정부가 들어선 2008년에 20.8%로 낮아졌고 2009년 20.5%에 이어 2010년에는 20.1%까지 하락할 예정이다(정부는 2013년에 재정수지 균형과 함께 조세부담률을 20.8%로 상향시키겠다고 한다. 정부의 발표를 믿어야겠지만 자꾸만 '747공약'이 떠오른다).

2009년 조세 수입 211.7조 원 중 국세가 164.6조 원으로 78%, 지방세가 47.1조 원으로 22%를 차지한다. 국세 비중이 월등히 높기 때문에 2009년 지방정부의 재정자립도는 53.6%에 머물러야 했다. 이 때문에 지방세 비중을 높여야 한다는 목소리가 끊이지 않고 있다. 이 주장의 타당성에 대해서는 지방재정을 다루는 16장에서 자세히 검토할 것이다.

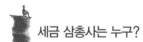

세금 삼총사는 누구?

한국의 30개 세금 가운데 가장 세수가 큰 세금은 무엇일까? 필자가 교육 때마다 이 질문을 던지곤 하는데, 그리 쉽게 답이 나오지 않는다. 정답은 '부가가치세'다. 2009년 이 세금으로 거둔 금액이 46.3조 원이다. 그 뒤로 법인세 36.1조 원,

소득세 33.9조 원이 있다. 보통 부가가치세가 선두에 서고 법인세와 소득세가 해에 따라 순서를 바꾸곤 한다. 이 세금 삼총사가 거둔 금액이 총 116.3조 원으로 2009년의 국세 164.6조 원 중 71%를 차지했다. 따라서 이후 조세 수입을 늘리기 위해선 이 대표적 세목들을 어떻게 개혁하느냐가 관건이다. 진보적 입장에서는 간접세에 해당하는 부가가치세를 더 올리는 것보다 직접세 성격을 지니는 소득세와 법인세는 강화하는 것이 바람직한 주장이다. 구체적인 개혁 방향은 다음 9장에서 다루어질 것이다.

교통에너지환경세, 종합부동산세도 주목거리

이 삼총사 외에 주목해야할 세금으로 '교통에너지환경세'와 '종합부동산세'가 있다. 교통에너지환경세는 2009년 세수가 11.2조 원으로 '넘버 4' 자리에 있는 세금이다. 그만큼 자동차 운전자들의 원성을 사는 세금이다.

오랫동안 이 세금을 둘러싸고 논란이 끊이지 않고 있다. 현재 유류 중에서 LPG에는 개별소비세(구 특별소비세)가, 휘발유와 경유에는 교통에너지환경세가 적용되고 있다. 때문에 교통에너지환경세가 유류세 과세 체계를 복잡하게 만들고 세수도 교통시설특별회계에 전입되어 경직적으로 사용되고 있다는 비판이 제기되어 왔다. 운수업종 노동계에선 유류세로 인한 운송비 부담이 크다며 유류세 감면을 요구하고 환경 운동 쪽에선 유류 사용 억제 효과는 인정하되 이 세금을 목적세인 환경세로 전환하여 도로 건설 대신 친환경 사업에 사용되어야 한다고 주장한다. 이에 교통에너지환경세는 2010년부터 개별소비세로 통합될 예정이었으나 그 시기가 2013년으로 유예된 상태다. 워낙 세입 규모가 크고 이해관계자가 많아 이후에도 교통에너지환경세를 둘러싼 논란은 끊이지 않을 것이다.

노무현 정부가 도입했으나 이명박 정부에 의해 무력화되고 있는 종합부동산세도 관심을 가져야 할 세금이다. 종합부동산세는 다소 '부동산 부유세' 성격을 지닌 세금으로 세수 규모가 2006년 1.3조 원을 시작으로 2007년 2.4조 원으로 증가했고 이후 과세표준적용률(세금을 매길 때 기준이 되는 금액을 정하는 비율)이 상향되면 계속 세수가 늘어날 예정이었다. 그러나 이명박 정부 들어 종합부동산세 법이 개악되면서 2008년 2.1조 원, 2009년 1.2조 원으로 대폭 줄어들고, 2010년는 1조 원에 머물 예정이다. 만약 2008년 부자 감세가 없었다면 현재 3조 원대도 가능했던 종합부동산세 수입이 이제는 1조 원 규모로 축소됐다. 앞으로 종합부동산세의 운명은 어떻게 될까? 이명박 정부 들어 종합부동산세 폐지 이야기가 계속 나오고 있다. 종합부동산세는 탄생부터 워낙 정치적 상징성을 지닌 세금이어서, 만약 폐지 쪽으로 발표된다면 이명박 정부에서 부자 감세에 이어 두 번째 세금 화약고가 될 가능성이 높다.

세금의 계급적 성격을 보여주는 직접세 · 간접세

조세 제도 논의에서 빠질 수 없는 것이 직접세 · 간접세이다. 보통 직접세는 납세자의 소득이나 자산에 비례해 매겨지기 때문에 소득재분배에 기여하지만, 간접세는 납세자의 소득과 무관하게 물품 가격에 붙는 세금이기 때문에 역진적 성격을 가진다고 평가된다. 세금의 계급적 성격을 따질 때 직접세 비중을 우선 확인하는 이유다.

본래 직접세와 간접세를 구분하는 기준은 실제 세금을 부담하는 '부담자'와 세금을 과세 당국에 납부하는 '납세의무자'의 관계다. 직접세는 세금부담자와 납세의무자가 일치하는 세금이다. 예를 들어 소득세의 경우 세금 부담자가 자신의 소득에서 일부를 국가에 낸다. 회사에서 총무과 직원이 대행해 주지만 법적 납세의무자는 근로자 자신이다. 반면 간접세는 세금부담자와 납세의무자가 일치하지 않는 세금이다. 예를 들어 부가가치세의 경우 내가 물건을 살 때 애초 상품 가격의 10%를 부가가치세로 추가 지불하지만, 이 세금을 납부하는 법적 의무자는 내가 아니라 나에게 물건을 판 사람이다.

하지만 모든 세금이 명확하게 직접세와 간접세로 구분되는 것은 아니다. 예를 들어 교육세는 기존 세금에 다시 일정 세율을 매기는 부가세surtax로, 금융보험업자의 수익금액에 0.5%, 개별소비세액에 30%, 교통세액에 15%, 주세酒稅액에 10%가 부가된다. 2007년 교육세 세입 3.6조 원을 보면, 직접세에 해당하는 금융보험업자의 수익금액 과세 세입은 약 0.7조 원으로 이것이 전체 교육세의 19%를 차지하고 나머지는 간접세 세입이다. 그렇다면 교육세는 직접세일까, 간접세일까? 섞여 있다. 지방교육세 · 농어촌특별세도 다양한 직접세목과 간접세목에 부가되는 세금이어서 직접세와 간접세로 구분하기가 어렵다.

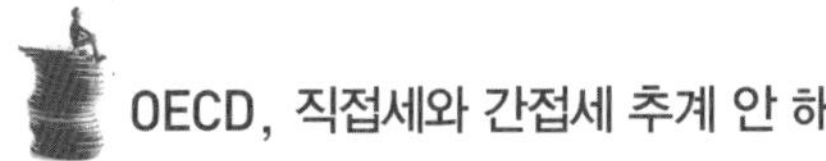

OECD, 직접세와 간접세 추계 안 해

전통적으로 직접세와 간접세는 조세의 계급적 성격을 파악하는 주요한 수단이었지만, 점차 조세 체계가 복잡해지면서 이것이 전체 세목들을 나누는 기준이 되기가 어려워졌다. 이에 현재 OECD도 개별 세목들을 따로 직접세와 간접세로 구분하지 않고 〈표11〉에서 보듯이 세금의 성격에 따라 소득 · 이윤과세(1000), 사회보장기여금(2000), 고용과세(3000), 자산과세(4000), 소비과세(5000), 기타(6000) 등 여섯 개 세입 범주로 정리하고 있을 뿐이다(OECD 2009a).

〈표11〉 OECD 조세 범주와 직접세 · 간접세 재구성

<table>
<tr><th>번호</th><th>OECD 범주</th><th>주요 항목</th><th>재구성</th></tr>
<tr><td>1000</td><td>소득 · 이윤과세
(Taxes on income,
profits and capital gains)</td><td>소득세, 법인세, 자본이윤세</td><td rowspan="4">직접세
(미세 수정)</td></tr>
<tr><td>2000</td><td>사회보장기여금
(Social security contributions)</td><td>사용자, 노동자, 자영자 기여금</td></tr>
<tr><td>3000</td><td>고용과세
(Taxes on payroll and work force)</td><td>급여세, 직업훈련기금</td></tr>
<tr><td>4000</td><td>자산과세
(Taxes on property)</td><td>재산세, 상속증여세, 증권거래세</td></tr>
<tr><td>5000</td><td>소비과세
(Taxes on goods and services)</td><td>부가가치세, 수입관세, 특별소비세</td><td>간접세
(미세 수정)</td></tr>
<tr><td>6000</td><td>기타
(Other taxes)</td><td>특수세금, 과년도 수입</td><td>1/2 분할</td></tr>
</table>

출처: OECD(2009b) Revenue Statistics 1965-2008.
* 직접세, 간접세 재구성은 필자의 구분임.

따라서 지금은 직접세와 간접세 비중을 다룬 국제 비교 통계치를 사실상 구할 수가 없는 상황이다(한국에선 기획재정부가 일본 재무성의 통계월보자료를 인용해 일부 국가의 수치를 소개하고 있으나 산출 기준이 달라 객관적인 비교수치로 사용되기 어렵다고 판단된다). 또한 엄밀히 보면 직접세에 속하는 세금들이 모두 동일하게 소득재분배 효과를 지니는 것은 아니다. 직접세에는 누진율이 적용되는 소득세도 있고 예외적인 경우지만 정액으로 부과되는 주민세도 있기 때문이다.

하지만 필자는 조세의 계급성을 파악하고자 할 때는 전통적인 직접세, 간접세 구분법이 여전히 유효하다고 생각한다. OECD 조세 범주로 보면, 대체로 소득이윤과세 · 사회보장기여금 · 고용과세, 자산과세가 직접세, 그리고 소비과세와 기타과세가 간접세로 간주될 수 있다. 하지만 자산과세, 소비과세, 기타과세 각각에 일부 조정이 필요한 세목들이 있다. 이에 필자가 OECD 개별 국가들의

● 필자의 추정 방식은 다음과 같다. 첫째, 자산과세에 포함되는 '금융 및 자본 거래 관련 세금들(4400)' 중 증권거래세, 인지세는 간접세로 계산했다. 이에 한국의 경우 자산과세 비중 GDP 3.4% 중 0.6%를 간접세, 나머지 2.8%를 직접세로 산정했고, OECD 평균은 애초 자산과세 GDP 1.9% 중 〈표12〉에 나온 7개국 평균 0.5%를 간접세로 간주했다(한국의 자산세 비중이 GDP 3.4%로 높은 이유는 약 15조 원에 이르는 취득세와 등록세 때문이다).
둘째, 소비세 중 물품 구입에 포함되는 비용이 아니라 '사용과정에서 납세자가 내는 세금들(5200)'은 모두 직접세로 계산했다. 여기에 포함된 배부분의 세금들은 자동차세다(한국에서는 연 2회 납부한다). 이에 한국의 경우 전체 소비세 GDP 8.3% 중 0.3%를 직접세로 계산했고, OECD 평균 10.9%에서 7개국 평균인 0.5%를 직접세로 간주했다.
셋째, '기타과세 세금들(6000)'은 나라마다 특수한 세금들이 포함된 잔여적 범주여서 직접세, 간접세로 구분하기가 사실상 불가능하다. 예를 들어 한국의 기타과세로 분류된 지방교육세는 기존 등록세, 레저세, 주민세 균등할, 재산세, 비영업용 승용 자동차세, 담배소비세 등에 다시 부가되는 세금이다. 또한 지방정부 과년도수입도 기타과세 범주에 속한다. 이에 기타과세 세금들은 직접세, 간접세로 절반씩 배분해 계산했다. 이는 임의적인 추정 작업이긴 하나 OECD 평균 기타과세 규모가 GDP 0.2%에 불과해 무시할 수 있는 수준이다.

자료를 재구성해 직접세와 간접세 비중을 추정해 보았는데, 〈표12〉가 그 결과다. 나라마다 세목들이 다양해 완전한 보완 및 수정을 거친 것은 아니지만 위 수치들은 각국 조세 수입의 기본 특징을 보여주는 주요한 지표라고 생각한다.●

〈표12〉 GDP 대비 조세율과 조세 구성 (단위: %, 2007)

	스웨덴	이탈리아	독일	영국	미국	일본	한국	OECD 평균
직접세(a)	22.8	17.4	12.6	18.2	17.8	13.3	12.0	15.5
간접세(b)	12.9	13.0	10.2	11.1	3.9	4.8	9.0	11.0
사회보장기여금(c)	12.6	13.0	13.2	6.6	6.6	10.3	5.5	9.1
조세부담률(a+b)	35.7	30.4	22.9	29.5	21.7	18.0	21.0	26.7
국민부담률(a+b+c)	48.3	43.5	36.2	36.1	28.3	28.3	26.5	35.8
총직접세율(a+c)	35.4	30.4	25.8	24.8	24.4	23.6	17.5	24.6

출처: OECD(2009b), Revenue Statistics 1965-2008.

* OECD 6개(소득세, 사회보장기여금, 고용세, 자산세, 물품세, 기타)을 필자가 직접세와 간접세로 재구성해 계산.

한국 조세 제도의 핵심 문제: "총직접세 수입이 적다"

〈표12〉를 보면, 2007년 한국의 조세부담률은 21.0%, OECD 평균은 26.7%, 그리고 사회보장기여금이 포함된 국민부담률은 한국이 26.5%, OECD 평균이 35.8%이다. 이를 직접세 · 간접세 · 사회보장기여금으로 나누어 살펴보면 한국의 직접세는 GDP 12.0%로 OECD 평균 15.5%보다 3.5% 포인트가 낮고, 간

접세는 GDP 9%로 OECD 평균 11.0%보다 조금 낮다. 또한 한국의 사회보장기여금도 GDP 5.5%로 OECD 평균 9.1%에 비해 3.6% 포인트가 낮다. 여기서 우리가 읽어야 할 핵심은 무엇일까?

넓게 보면 사회보장기여금은 4대 사회보험에 가입자와 고용주가 내는 보험료로 소득에 따라 납세자가 직접 내는 직접세 범주에 포함될 수 있다. 한국에서 조세는 국세와 지방세를 합한 '세금'만을 의미하지만, OECD에서 정의한 조세Tax는 일반세금과 사회보장기여금을 모두 포괄한다. 사회보장기여금 역시 모든 국민들이 소득에 따라 일정비율로 납부하는 의무적 재원이기 때문이다.

이에 필자는 직접세와 사회보장기여금을 합친 것을 '총직접세'로 부르고자 한다. 그러면 2007년을 기준으로 한국의 총직접세율은 GDP 17.5%로 OECD 평균 24.6%에 비해 7.1% 포인트가 부족하다. 소득재분배 효과를 가진 총직접세 수입이 매년 OECD 국가들에 비해 약 70조 원이 부족한 것이다. 한국의 조세 제도의 가장 큰 문제점이 무엇이냐고 묻는다면 필자는 이렇게 대답한다. "총직접세 수입이 적다"고.

9
장

세금이 적어서, 당신은 행복하십니까?

한국 조세 제도의 핵심 문제가 적은 총직접세에 있다면, 어떻게 직접세를 확대할 것인가? 필자가 조세와 관련된 강의를 하면서 "한국 조세 제도의 가장 큰 문제가 무엇이냐"고 물으면 상당수의 사람들이 "높은 간접세"라고 대답한다. 틀린 답은 아니지만 정답인 것도 아니다.

한국, 간접세가 많은 것이 아니라 직접세가 적다

일반적인 통념과 달리 한국의 간접세 비중이 그리 높은 것은 아니다. 〈표13〉을 보면 1970년에는 간접세 비중이 국세 기준으로 61.5%, 조세(국세+지방세) 기준으로 56.5%로 직접세에 비해 더 높았다. 그러나 이후 간접세 비중은 점차 낮아져 2008년에는 국세 기준 49.0%, 조세 기준 41.8%로 오히려 직접세보다 낮아졌다.

〈표13〉 한국의 직접세 · 간접세 비중

세목	세목별	1970	1992	1995	1997	1999	2001	2000	2005	2006	2007	2008
국세	직접세	38.5	45.3	46.9	41.4	40.5	40.7	43.7	46.9	49.0	51.9	51.0
	간접세	61.5	54.7	53.1	58.6	59.5	59.3	56.3	53.1	51.0	48.1	49.0
조세	직접세	43.5	52.8	54.7	50.7	49.5	50.4	53.1	55.2	57.3	58.7	58.2
	간접세	56.5	47.2	45.3	49.3	50.5	49.6	46.9	44.8	42.7	41.3	41.8

출처: 국회예산정책처(2009a)의 〈통계로 보는 재정 2009〉와 〈KOSIS 국가통계포럼〉을 재구성.

특히 국세와 조세 가운데 보다 종합적인 기준이 되는 것은 지방세까지 포함된 전체 조세이다. 한국은 이미 1990년대 초반부터 조세 기준으로 직접세 비중이 더 높았으며 2008년에는 58.2%에 달했다. 또한 절대적 세수 크기를 보더라도, 한국의 간접세가 외국에 비해 많은 편이 아니다. 앞의 〈표12〉를 보면, 한국의 간접세 비중은 GDP 9.0%로 OECD 평균 11.0%에 비해 오히려 낮다.●

그럼에도 한국에서 간접세 규모가 많은 것처럼 보이는 것은 그 비교 대상인 직접세 수입이 절대적으로 적기 때문이다. 그렇다면 구체적으로 한국의 직접세에서 어느 세목의 세입이 적은 것일까?

● 전체 조세부담률이 높은 복지국가에서는 직접세 비중과 함께 간접세 비중도 다소 높고(스웨덴 12.9%, 이탈리아 13.0%), 조세부담률이 낮은 나라에서는 간접세 비중도 역시 낮다(일본 4.8%, 미국 3.9%).

법인세는 OECD 평균 수준, 소득세는 무려 50조 원이 부족하다

우선 한국 정부의 기업친화적인 성격을 생각할 때, 법인세가 적을 것으로 예상된다. 과연 그럴까? 〈표14〉를 보면 2007년 보면 한국의 법인세 비중은 GDP 4.0%로 OECD 평균 3.9%와 거의 비슷하다. 예상과 달리 외국보다 낮지 않다. 반면 한국의 소득세 비중은 GDP 4.4%로 OECD 평균 9.4%에 비해 무려 5% 포인트, 금액으로 약 50조 원이나 적은 셈이다. 결국 한국의 직접세가 부족한 결정적인 원인은 취약한 소득세 수입이다.

〈표14〉 OECD 국가의 주요 직접세 비교 (단위: GDP %, 2007)

	소득세	법인세	사회보장기여금			
			고용주	피고용자	기타	계
미국	10.8	3.1	3.3	2.9	0.4	6.6
일본	5.5	4.8	4.7	4.5	1.1	10.3
한국	4.4	4.0	2.4	3.1	0.0	5.5
이탈리아	11.1	3.8	8.9	2.3	1.8	13.0
독일	9.1	2.2	6.3	5.8	1.1	13.2
스웨덴	14.9	3.8	9.8	2.6	0.2	12.6
영국	10.9	3.4	3.7	2.7	0.2	6.6
OECD	9.4	3.9	5.4	3.1	0.6	9.1

출처: OECD(2009b) Revenue Statistics 1965-2008.

* 한국 지역가입자 보험료는 피고용자에 포함. 기타 사회보장기여금은 장애보험료, 부모보험료, 유족연금료 등.

한편 각국의 법인세와 소득세 비중 추이를 보면 주목할 만한 사실이 발견된다. 각국의 법인세 세수 규모는 주요 국가들에서 대부분 GDP 2~5% 안에 있다.

반면 소득세 수입은 GDP 4~15%에 걸쳐 차이가 크다. 법인세는 국제적 경제 환경에 영향을 받는 경제적 세금으로 나라마다 비슷한 양상을 보이는 반면, 소득세는 국내의 계급적 관계에 따라 좌우되는 정치적 세금으로 각국마다 상이한 양상을 띠는 것이다. 한국의 소득세 수입이 적은 것은 그만큼 증세 세력(복지 세력)의 힘이 약하기 때문이다.

직접세 인하의 원조는 김대중, 노무현 정부

지난 10년 이른바 '개혁 정부'에서 직접세는 어떠한 길을 밟아 왔을까? 이명박 정부의 감세를 비판하는 목소리가 거세지만, 사실 직접세 감세는 김대중 정부와 노무현 정부부터 이어져 온 일이다.

〈표15〉 소득세율 변화 현황 (단위: %)

과세표준	1996	2002	2005	2009	2010
1,000만 원 이하(1,200)	10	9	8	6	6
1,000만 원 초과 ~ 4,000만 원 (1,200~4,600)	20	18	17	16	15
4,000만 원 초과 ~ 8,000만 원 (4,600~8,800)	30	27	26	25	24
8,000만 원 초과(8,800)	40	36	35	35	35(33)

* 2009년부터는 괄호 안 금액이 과세표준. 33% 세율은 2012년부터 적용.

우선 〈표15〉에 정리된 소득세율의 변화를 보자. 김대중 정부는 집권 당시 소득구간별로 10~40%로 유지되던 소득세율을 9~36%로 인하했고, 노무현 정부는 다시 8~35%로 더 낮췄다. 그리고 이명박 정부가 2008년 감세로 소득세율을 현재의 6~33%로 크게 인하했다. 2000년대 들어와 세 정부를 거치면서 과세표준 금액으로 연봉이 8,800만 원을 넘는 고소득 계층의 경우 자신에게 적용되는 소득세율이 40%에서 33%로 낮아진 것이다(33% 세율은 2012년부터 적용).

법인세도 소득세와 비슷한 길을 밟아 왔다. 1994년에 법인세율은 법인이윤 1억 원 이상 기업의 경우 32%였다. 그러나 김영삼 정부에서 28%, 김대중 정부에서 27%, 노무현 정부에서 25%로 낮아졌고, 이명박 정부에서 20%로 크게 인하되었다(20% 세율은 2012년부터 적용). 1990년대 초반 이후 네 정부를 지나면서 32%였던 법인세율의 최고 세율이 이제 20%로 대폭 인하된 것이다.

〈표16〉 법인세율 변화 현황 (단위: %)

과세표준	1994	1995	1996	2002	2005	2008	2009	2010
1억 원(2억 원) 이하	18	18	16	15	13	11	11	10
1억 원(2억 원) 초과	32	30	28	27	25	25	22	22(20)

* 2008년부터는 괄호 안 금액이 과세표준. 20% 세율은 2012년부터 적용.

물론 가장 대규모로 부자 감세를 행한 정부는 이명박 정부다. 한국의 직접세에서 더 이상 인하할 여지가 사실상 없음에도 이명박 정부는 소득세 · 법인세 · 종합부동산세 · 상속증여세 · 개별소비세(구 특별소비세) 등 상위 계층에게 혜택을 주는 세목들을 중심으로 감세를 감행했다. 이러한 세율 인하는 이후에도 항구적으로 영향을 미치는데, 이명박 정부 임기 동안 초래되는 감세 규모만 약 90조 원에 육박한다.

〈표17〉 2008년 세제개편안 세수 감소 효과 (단위: 조 원)

	2008	2009	2010	2011	2012	합계
전년 대비방식	5.5	10.5	13.3	3.8	0.4	33.5
기준년 대비방식	5.5	12.4	23.2	24.6	24.4	90.2

출처: 이영환 · 신영임(2009), 〈2008년 이후 세제개편의 세수효과〉, 국회예산정책처.
* 2010년 시행 예정이었던 소득세율 최고구간 인하(35% → 33%), 법인세율 상위구간 인하(22% → 20%)는 2012년으로 유예되어 2010~2011년 동안 약 3.7조 원의 세수가 덜 줄어들 것.

외국에 비해 크게 낮은 사회보장기여금

필자는 앞서 사회보험료도 재분배 효과를 지니는 직접세 성격을 지니고 있다고 평가했다. 한국의 사회보장기여금 비중은 GDP 5.5%로 OECD 평균 9.1%에 비해 3.6% 포인트 낮다. 직접세뿐만 아니라 사회보장기여금도 상당히 부족한 상태다. 사회보장기여금을 고용주와 피고용주 몫으로 나누어 살펴보자.

117쪽의 〈표14〉를 다시 보면, 한국의 피고용자 보험료 비중은 GDP 3.1%로 OECD 평균과 동일하게 나타난다. 하지만 이 수치를 읽는 데 주의가 요구된다. 상당한 규모의 지역가입자가 피고용자로 간주되기 때문이다. 따라서 이를 공제하면 한국의 직장가입자들이 내는 사회보장기여금은 약 GDP 2%대 초반으로 추정된다. 반면 고용주의 사회보장기여금 비중은 GDP 2.4%로 OECD 평균인 GDP 5.4%에 비해 무려 3.0% 포인트가 낮다. 한국에선 특히 고용주들의 사회보장기여금 몫이 외국에 비해 크게 부족하다. 그러면 사회보험 중 규모가 큰 국민연금과 건강보험의 보험료율을 구체적으로 비교해 보자. 보통 사회보험료 부담이 크다는 원성이 많지만, 실제 한국의 사회보험료율은 외국에 비해 상당히 낮은 편이다.

〈표18〉 주요 국가 공적연금 보험료율 · 규모 비교 (단위: %, 2007)

		이탈리아	스페인	프랑스	독일	스웨덴	일본	미국	한국	OECD 평균
보험료율		32.7	28.3	24.0	19.5	18.9	14.6	12.4	9.0	21.0
규모 (GDP)	고용주	7.3	6.6	–	2.7	3.6	2.9	2.3	1.0	2.9
	피고용자	2.2	1.3	–	2.6	2.5	2.9	2.3	1.6	1.8
	계	9.4	8.5	–	5.8	6.2	5.9	4.6	2.6	5.0

출처: OECD(2009c), 《Pension at a Glance 2009》.
* 보험료 규모 GDP 비중의 합계가 사용자, 피용자 비중 합계와 일부 차이가 있는 경우는 기타수입 때문. 한국의 지역가입자 보험료는 피고용자에 포함.

〈표18〉은 주요 국가의 공적연금 보험료율을 정리한 자료다. 한국의 국민연금 보험료율은 소득의 9%로 OECD 평균 21%에 크게 못 미친다. 한편 한국의 국민연금 급여율은 보험료율 수준에 비해서는 높은 상태다. 지금 국민연금에 가입해 있는 가입자들은 이후 자신이 납부한 보험료에 비해 후한 연금 혜택을 받게 될 것이다.

물론 지난 2007년 국민연금법 개정으로 급여율이 2008년 60%에서 50%로 낮아졌고, 이후 2028년까지 40%로 낮아질 예정이다. 하지만 이것을 감안해도 한국의 현재 보험료율은 급여율에 비해 여전히 낮은 편이다. 그런데도 국민연금에 대한 불신이 매우 크고, 많은 사람들이 불안한 노후를 대비하기 위해 사私연금에 의존하고 있다. 2008년 국민연금 보험료 수입이 23조 원인데 비해 같은 해 민간 생명보험사들이 거둔 보험료 수입은 무려 87조 원에 이른다(보건복지부 2009; 생명보험협회 2009).● 어느 나라든 노후 대비 자금을 준비하게 마련이지만, 한국에서는 국민연금 대신 사보험이 이 역할을 주요하게 맡고 있다.

〈표19〉 주요 국가 건강보험료율 비교 (단위: %)

	프랑스	독일	일본	한국
고용주	13.1	7.0	4.25	2.665
피고용자	6.2	7.0	4.25	2.665
계	19.3	14.0	8.50	5.33

출처: 건강보험정책연구원(2009), 〈외국의 건강보험제도〉 (http://www.nhic.or.kr). 한국은 2010년 보험료율.

건강보험료율은 어떠할까? 〈표19〉를 보면 한국은 건강보험료율도 상당히 낮은 편에 속한다. 2010년 건강보험료율은 소득의 5.33%인데, 이는 20%에 육박하는 프랑스에 비해 크게 낮고 일본의 8.5%보다도 낮다.

외국에 비해 건강보험료가 작아서 다행이라고 생각하는가? 그만큼 건강보험의 보장성이 낮을 수밖에 없다. 전체 진료비 중 건강보험이 해결해 주는 몫이

● 국민연금의 보험료 수입은 보건복지부의 〈2008년 국민연금기금 결산〉 (2009. 2)을, 생명보험사의 보험료 수입은 생명보험협회(2009)의 《FACT BOOK 2009》를 참조하라.

2008년 기준으로 62%에 불과하다. 입원치료를 받아야하는 중병에 걸릴 경우 가계가 휘청거리는 이유다.

한국의 경우 건강보험의 보장성이 낮기 때문에 가구의 80%가 질병에 따른 비용에 대비하고자 민간의료보험에 가입해 있다. 여기에 내는 보험료만 월 평균 10만 원에 이르고 전체 보험료 납부액도 매년 10조 원을 넘을 것으로 추정된다. 게다가 최근 부상하기 시작한 실손實損형 민간의료보험의 팽창 속도를 감안하면 앞으로의 상황은 더욱 심상치 않다(김창보 · 서상희 · 오건호, 2009: 20-24).

사회보장기여금은 앞에서 살펴본 소득세, 법인세율과 달리 점진적으로 증가하고 있다. 한국의 사회보장기여금 비중은 2000년 GDP 4.0%에서 2006년 5.6%로 늘어났고, 현재는 약 6%대에 달할 것으로 추정된다. 국민연금의 경우 직장가입자의 보험료율은 1998년부터 지금까지 9%를 유지하고 있으나, 지역가입자의 보험료율은 2000년 4%에서 매년 1%씩 상향되어 2005년에 현재의 9%에 이르렀다. 건강보험의 보험료율도 꾸준히 인상되어 2000년 2%대에서 현재는 5%대에 있다.

앞으로도 사회보험료율은 점진적으로 올라갈 것으로 예상된다. 인구의 고령화에 따라 의료비 지출이 계속 증가하기 때문에 건강보험료율은 앞으로 꾸준히 인상될 수밖에 없는 구조를 가지고 있다. 가장 보험료율이 높은 국민연금도 미래 재정 부족을 감안하면 다음 정권에서 인상 논의가 다시 불거질 수밖에 없는 상황이다. 당신은 이를 받아들일 생각인가, 저항할 생각인가?

국가재정 확충의 '지렛대', 중간 계층에 달렸다

필자는 한국 조세의 핵심 문제로 '적은 총직접세 수입'을 꼽았다. 이제 진보 세력이 실질적인 총직접세 증세 운동에 나서야 한다. 특히 필자는 중간 계층 이상이 직접세 증세에 참여하는 '지렛대' 실천을 강조한다. 부유 계층의 책임을 요구하는 '부유세' 중심의 증세 운동도 중요하지만, 이들을 실질적으로 압박하기 위해서, 그리고 한국에 부족한 110조 원의 복지 재원을 마련하기 위해서는 중간 계층들도 재정 확보에 적극적으로 참여해야 한다.

2006년 민주노동당이 제안했던 '저소득계층 국민연금 보험료 지원사업(일명 사회연대전략)'도 정규직 노동자의 일부 재정 참여로 사용자 · 정부의 책임을 강화하고자 했다는 점에서 동일한 문제의식을 지닌 것이었다. 이는 국민연금제도 혜택을 받을 예정인 정규직 노동자들이 4조 원을 부담하고 정부에게 6조 원, 기업과 상위 계층에게 7조 원을 요구해 마련한 총 17조 원의 재정으로 약 640만 명의 저소득 불안정 계층에게 5년간 국민연금 보험료를 지원하는 사업이었으나 성사되지 못했다.

필자는 총직접세 확대 방안으로 우선 세금에선 사회복지세 도입, 사회보험에선 건강보험료율 인상을 제안한다. 앞에서 보았듯이 한국의 직접세 가운데 결정적으로 부족한 세금은 소득세다. 하지만 국민 정서를 감안할 때, 당장 소득세율 인상을 공론화하기는 힘든 상황이다. 그래서 사회복지세라는 우회로를 통해 동일한 목표를 거두자고 제안한다. 사회복지세는 세입과 세출을 연계한 세목으로, 정부의 재정 지출에 대해 불신이 깊은 한국에서 효과를 발휘할 수 있는 세금이다.

이는 소득세, 법인세 등의 직접세와 개별소비세 등에 누진적으로 부가될 것이다.

진보 진영과 시민사회는 건강보험의 재정을 늘리는 데도 적극 나서야 한다. 지금까지 진보운동 세력이 제시한 건강보험 보장성 강화 방안은 '국고지원 확대'였다. 하지만 필자는 국고지원에 전적으로 의존해야 하는 일반복지 사업과 달리 사회보험에서는 가입자들이 보험료를 더 내서 보장성을 확대하는 방안을 적극 검토할 때라고 생각한다.

실제로 건강보험료는 상당한 재분배 효과를 낳는 지렛대 역할을 할 수 있다. 현행 건강보험의 재정은 가입자의 건강보험료, 사용자 몫, 정부 몫으로 구성된다. 가입자가 100원을 내면 자동적으로 총 190원이 만들어지는 구조다. 더 중요한 것은 건강보험료는 소득에 따라 정률로 모아지고, 급여서비스는 아픈 만큼 지급된다는 점이다. '능력대로 내고 필요만큼 받는' 사회연대 원리에 기초하고 있는 것이다.

지금까지 가입자들, 특히 직장가입자를 대표한 노동계는 건강보험료 인상에 소극적이었다. 만약 노동자들이 생각을 바꾸어 보험료를 대폭 인상하자고 주장하면 어떨까? 그래서 민간의료보험 대신 건강보험 하나로 모든 진료비를 해결하자고 제안하면 어떤 일이 벌어질까?

'모든 병원비를 국민건강보험 하나로 시민회의' 발족

2010년 7월 17일 '모든 병원비를 국민건강보험 하나로 시민회의'(이하 건강보험 하나로 시민회의)가 출범했다. 국민 1인당 평균 1만 1,000원씩 건강보험료를 더 내자는 '이상한' 풀뿌리운동이다. 내용은 이렇다. 2010년 건강보험공단 재정은 36.2조 원으로 예상된다. 이 재정으로 확보되는 보장성이 62%에 불과하다. 만약 건강보험 재정을 12.4조 원 더 늘리면 입원 중심 보장성은 90% 수준으로 강화된다. 환자 본인 부담 연간 100만 원 상한제도 가능하다. 이를 위해선 건강보험료율이 현행 5.33%에서 7.13%로 인상되어야 한다. 1인당 월 평균 1.1만 원, 가구당 평균 2.7만 원이 오른다는 것을 의미한다(건강보험 하나로 시민회의 2010).●

건강보험료 인상이 부담스러울 수 있다. 하지만 어차피 병원비는 부담해야 하는 상황이다. 〈그림7〉에서 보듯이 민간의료보험에 6.2조 원을 납부하면 돌아오는 것은 4.7조 원에 불과하지만 국민건강보험에서는 12조 원이 되돌아온다. 그것도 보험료 납부액과 무관하게 아픈 만큼씩. 그래서 '건강보험 하나로 시민회의'는 제안한다. 국민건강보험료를 더 올리자고. 당신은 어떻게 생각하는가?

● '건강보험 하나로'가 제안하는 1만 1,000원은 평균 금액이고, 실제 가입자는 소득에 따라 월 5,000원에서 59만 원을 더 내게 된다. 하위계층 15%는 보험료를 사실상 감면조치를 취해줄 방침이므로 그 위의 계층이 월 5,000원을 더 내고, 최고소득 계층은 지금 월 175만 원에서 59만 원을 추가로 내야 한다. 이렇게 최고소득자의 추가보험료액이 큰 이유는 현재 건강보험료 산정 상한소득액이 월 6,579만 원으로 상당히 높기 때문이다. 여기에 직장가입자 몫만큼 기업이 부담하고, 전체 추가보험료액의 20%를 정부가 더 내게 된다. 그래서 가입자가 보험료 6.2조 원, 사용자 3.6조 원, 국고 2.7조 원을 합해 총 12.4조 원을 마련하자는 것이 건강보험 하나로의 재정 방안이다. 이에 대해서는 건강보험 하나로 시민회의(2010)의 "모든 병원비를 국민건강보험 하나로 시민회의 제안 설명", 《모든 병원비를 국민건강보험 하나로 시민회의 출범식 자료집》을 참조.

〈그림7〉 국민건강보험과 민간의료보험의 보험료 부담과 급여 혜택

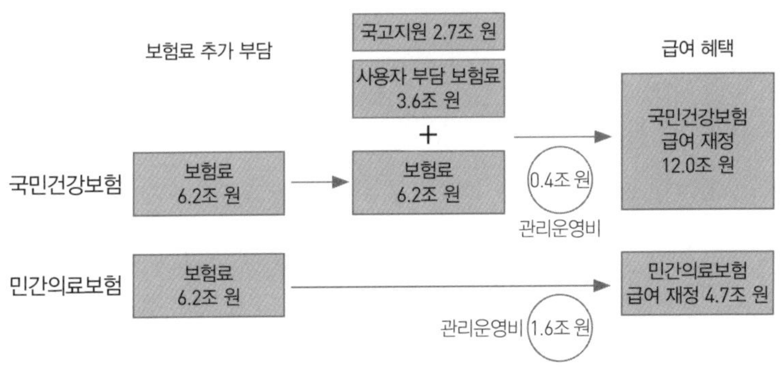

* 반올림 계산으로 근소한 수치 불일치 존재.

소득세와 사회보험료 낮아 당신은 행복하십니까?

한국의 소득세와 사회보험료가 낮은 것이 다행이라고 생각하는가? 가입자들은 계속 사회보험료 인상에 반대할 것인가? 이제 다르게 생각하자. 지금 월급명세서의 공제액이 작다면, 그만큼 상위계층 책임도 가벼워지고 국가재정도 취약해져 공공복지도 허약해진다. 하지만 의료와 연금 없이는 살 수 없기에 많은 사람들이 소득세나 사회보험료 대신 높은 본인부담금과 사보험료를 내며 시장상품을 사고 있다. 심지어 저소득 계층들도 노후와 질병에 대한 불안으로 사보험에 상당히 가입하고 있다. 어차피 지출해야 할 필수 비용이라면, 시장서비스가 아니라 공공서비스로 구현하는 게 좋다. 당장 월급명세서에서 소득세와 사회보험료 공제분이 조금 늘더라도 총직접세를 확대해 공공재정을 확충해 나가야 한다. 이것

이 서민들의 의료와 노후 불안을 해소하는 실질적인 방안이다. 시민들의 가계 지출도 절약하는 '생활의 지혜'다.

앞으로 진보 진영과 시민사회에서 사회복지세 도입, 건강보험료 인상 등을 두고 본격적인 논의가 벌어지길 소망한다. 한가지 아쉬운 것은 2010년 사회복지세를 발의한 진보신당도 과세 대상을 상위 5%로 한정했다는 것이다. 기존 프레임을 바꿀 만큼 용감하지 못하다는 생각이다. 건강보험료를 인상하자는 제안에 대해서도 일부에서 반대 목소리가 높다. 물론 중간계층까지 과세하는 것으로 설계한다면 사회복지세도, '건강보험 하나로 시민회의'가 제안하는 건강보험료 인상도 모두 부담스러운 제안들이다. 그렇다고 언제까지 국가재정 확충을 '강 건너 일'로 놔둘 것인가? 진보 진영이 국가재정 확충 방안에 대해 '국가와 기업이 책임지라'는 입장만 되풀이하는 동안 지금 사보험이 세상을 장악해 가고 있는데 말이다.

4부

국가재정을 둘러싼 주요 논점

10
장

성인지 예산제를 아십니까?

2010년 3월 한국여성정책연구원 발표에 따르면 한국의 성평등 점수가 100점 만점에 59점이라고 한다. 참 낮다는 이야기다. 웬만한 정부위원회, 기업 조직 구성원 인물 사진을 보면 거의가 남성이다. 왜 조직사회의 요직은 남성들이 독차지하는가? 이에 곳곳에서 여성 권리를 신장하기 위한 노력들이 벌어지고 있다. 국가재정 영역에서는 '성인지 예산제'가 이에 해당한다. 이는 성인지적 관점을 국가재정 영역으로 확장시킨 것이다.

한국에서도 '성인지'란 용어가 조금씩 익숙해지고 있다. 성인지란 사회에 구조화되어 있는 성 불평등 문제를 개선하기 위해 각종 제도나 정책이 남성과 여성에 미치는 영향에 주목하고 해결방안을 모색하는 접근을 말한다. 성인지적 관점에서 사회를 되돌아보면 새롭게 발견되는 것들이 많다.

일반적으로 정부 예산은 성 중립적이라고 가정되거나, 혹은 성별 영향을 무시한 채 편성되어 왔다. 국가재정마저 기존 성불평등 구조를 재생산하는 데 일조

해온 셈이다. 이에 국가재정이 성평등을 증진하는 방향에서 운용되도록 정부예산의 편성 · 심의 · 결산과정에서 예산이 미치는 성별 영향을 고려하는 것이 성인지 예산제다. 2010년은 이 제도가 시행된 첫해다. 과연 애초 취지대로 가고 있을까? 현행 성인지 예산제를 진단해 보자.

사례로 본 성인지 예산제

우선 성인지 예산제의 내용과 역사를 살펴보고 가자. 성인지 예산제는 정책이 모든 사람들에게 똑같은 방식으로 혜택을 줄 것이라는 통념에서 벗어나라고 요구한다. 다소 단순한 경우지만, 종종 소개되는 '공중화장실 예산' 사례를 보자.

보통 공중화장실은 남녀가 건물의 절반씩을 차지하는 방식으로 설계되어 왔다. 그 결과 항상 여자 화장실의 대기 줄은 남자 화장실에 비해 길다. 하루에 화장실 이용 횟수가 여성은 7.7회로 남성의 5.5회에 비해 많고, 한 번 이용할 때 소요되는 시간도 여성은 3분으로 남성의 1.24분에 비해 길다. 성인지 예산제라면 어떻게 해야 할까? 당연히 화장실 이용의 성별 차이를 감안해 여성 화장실 예산을 늘려갈 것이다(마경희 2008: 9).

또 하나의 예를 보자. 현재 미술가 사회의 남녀 인원 비중이 6:4라면 정부의 미술가 지원 사업 예산도 남녀 6:4로 배분될 가능성이 높다. 그런데 왜 남녀 비율이 6:4일까? 남성이 여성보다 선천적으로 더 많은 미술 재능을 가지고 태어난다고 볼 수는 없다. 그런데도 남성 비율이 높은 이유는 여성이 미술가로 성장하는 데 사회적 장벽이 있기 때문이다. 성인지 예산제라면 어떻게 할까? 현행 미술가의 성별 비중을 그대로 반영하기보다는 성평등을 제고하는 방향에서 예산을 배정해 나갈 것이다.

여기서 유념할 것은 성인지 예산제가 여성만을 위한 제도가 아니라는 점이다. 성인지 예산제의 목표는 '여성'을 넘어 '성' 평등에 있다. 예를 들어 지금까지 아이 기저귀를 가는 교환대가 설치되어 있는 곳은 여자 화장실뿐이었다. 하지만 남성이 아이를 데리고 외출하는 경우도 있기 때문에 최근 일부 공공시설의 남자 화장실에도 기저귀 교환대가 설치되고 있다. 이 역시 성인지 예산제가 적용된 것이라 볼 수 있다.

또 한가지 주목할 것은 성인지 예산제가 성평등 예산을 늘리는 활동으로 한정되지 않는다는 점이다. 성인지 예산제는 정부 사업이 지니는 성별 영향 평가를 통해 성차별 구조를 드러내고, 이를 해소해 나감으로써 여성의 정치 · 사회적 지위를 향상시키는 것을 목적으로 한다. 성인지 예산을 마련하고 결산하는 과정에서 성차별 및 효과 분석 등의 관련 활동이 그만큼 중요해진다.

성인지 예산제, 한국에서 법제화되다

성인지 예산제는 1984년 호주에서 처음 도입되었다. 이어 1995년 제4차 북경 유엔 세계여성대회가 성 주류화 전략의 주요 의제로 성인지 예산제를 결의했고, 유럽의회도 2003년 '성인지 예산 결의문'을 채택했으며, 국제의회연맹IPU은

2004년 총회에서 각국 의회에 성인지 예산제 도입을 권고했다. 현재는 세계 60여 개 국에서 성인지 예산제가 시행되고 있다.

한국에서도 1990년대 후반부터 여성 단체들이 여성 관련 예산 활동을 벌였다. 이것의 성과로 2002년 '성인지적 예산편성 및 여성 관련 자료 제출 촉구 결의안'이 국회에서 채택되었다. 노무현 정부 들어서 성인지 예산제에 대한 관심은 더욱 높아져 마침내 2006년 국가재정법이 제정될 때 성인지 예산 관련 조항이 명시되었다. 현재 성인지 예산제가 법제화된 나라가 한국, 프랑스, 필리핀 정도라는 점을 생각하면 한국에서 성인지 예산제는 주목할 만한 제도로 발전할 가능성이 있다.

이제 정부는 국가재정법에 따라 예산이 여성과 남성에게 미치는 효과를 평가하고 그것을 예산편성에 반영하도록 노력해야 한다. 그래서 이명박 정부는 2009년 정기국회 때 2010년 예산안의 첨부 서류로 〈예산이 여성과 남성에게 미칠 영향을 미리 분석한 보고서〉(국가재정법 제26조)인 성인지 예산서를 제출했고, 2011년부터는 이것의 집행을 평가하는 성인지 결산서도 선보일 것이다.

그런데 이 제도가 실행되자마자 여러 곳에서 비판의 목소리가 제기되고 있다. 정부가 '이름'뿐인 성인지 예산서를 제출해 사실상 제도를 무력화하고 있기 때문이다. 2010년 성인지 예산제에서 드러난 문제점을 정리하면 다음과 같다.●

● 아래 문제점들은 마경희(2008), 〈성인지예산제도의 이해와 쟁점〉, 국회여성위원회(2009), 〈성인지 예산안 심의의 기본 방향과 분석 길잡이〉 (2009. 11), 국회예산정책처(2009b), 《2010년도 성인지 예산서 분석》 (2009. 11), 등을 참조.

문제점 1 – 총론: 성인지적 재정 전략 없는 성인지 예산서

성인지 예산서는 향후 성평등과 여성의 지위 향상을 위한 재정 운용의 방향을 담은 문서다. 그런데 2010년의 첫번째 성인지 예산서에는 성인지적 재정 전략이 아예 존재하지도 않는다. 개별 사업에 대한 간략한 요약만 있을 뿐 현재 성불평등 상황이 어떠한지에 대한 진단도 없고, 성평등 제고를 위해 어떠한 방향으로 재정을 운용하겠다는 전략도 없다. 성인지 예산제가 단순히 여성 분야 예산을 확대하는 것이 아니라 국가재정 운용에 성인지적 관점을 적용하는 성 주류화 전략의 의제라는 점을 생각하면, 이는 성인지 예산제의 본질을 훼손하는 문제다.

예를 들어보자. 2009년 한국의 경제활동 참가율은 평균 59.7%였다. 그런데 여성의 참가율은 남성 참가율 72.2%에 비해 47.7%에 불과하다. 또한 전체 남성 노동자의 정규직 비중이 58.2%인데 반해 여성 노동자 중 정규직은 34.4%에 불과하다. 제대로 된 성인지 예산서라면 현 단계 노동시장의 성불평등 실태를 진단하고, 이를 개선하기 위한 단계적 · 전략적 목표를 수립해야 하며, 재정을 통한 실행 계획을 담고 있어야 한다.

문제점 2 – 사업 자료: 개별 사업당 '1쪽 분량'의 형식적 자료

성인지 예산서에 포함된 성인지 대상 사업의 설명 자료도 빈약하기 짝이 없다. 산모 · 신생아 도우미 지원 사업, 보육 돌봄 서비스 지원 사업 등 개별 사업당 보통 '1쪽 분량'으로 형식적인 사업 목표 몇 줄에다 사업의 대상자와 수혜자 현황을 남녀로 구별해 제시한 것이 전부다. 이는 성인지 예산서라기보다는 일부 여성 관련 사업을 병렬적으로 취합한 것에 불과하다.

성인지 예산서가 '예산이 여성과 남성에게 미칠 영향을 미리 분석한 보고서'가 되기 위해서는 성별 격차가 생기는 원인, 해당 사업이 성 불평등 해소에 미칠 효과, 향후 해당 사업의 목표 등이 제시되어야 하는데 말이다. 예를 들어 문화관광체육부의 스포츠 산업 인력육성 지원 사업을 보면 수혜자 남녀 비율이 각각 91%, 9%로 표시되어 있는 게 전부이다. 현재 스포츠 산업 인력 구조가 어떠한지, 왜 해당 사업 수혜자 중 여성이 9%밖에 차지하지 않는지, 향후 여성 수혜자 비율을 높이려면 어떠한 조치가 필요한지 등의 내용은 어디에도 없다.

문제점 3 – 대상: 정부사업 중 2.5%에 불과

정부가 제출한 성인지 예산서는 적용 대상 사업의 규모에서도 상식을 벗어나 있다. 2010년 성인지 예산서는 전체 51개 정부 부처 중 29개, 약 9,000개의 세부사업 중 단지 195개 사업만을 대상으로 하고 있다. 금액으로 보면 전체 정부총지출안 292조 원 중 7.3조 원에 불과하다. 사업 수나 금액에서 모두 정부총지출의 2.5% 수준이다.

어떻게 성인지 예산서가 이리 빈약해졌을까? 우선 정부는 성인지 예산서 이름이 '예산'이라는 이유로 전체 사업 중에서 기금사업을 모두 제외했다. 그래서

2010년 정부총지출안 293조 원의 30.5%인 89조 원이 지출되는 기금사업들은 아예 성인지 예산서 대상에서 사라졌다. 예를 들어, 노동부의 2010년 총지출안 12.3조 원 중 91%를 차지하는 11.2조 원이 고용보험기금 · 산재보험기금 등 기금에서 지출된다. 모성보호육아 지원 · 육아휴직 장려금 등 기금사업이 원천적으로 성인지 예산서에서 빠져버렸다.

또한 정부는 시행령의 한계를 악용해 성인지 예산서에 포함될 대상 사업을 축소했다. 현재 국가재정법 시행령(제9조)은 기획재정부장관이 여성부 장관과 협의해 마련한 기준에 따라 성인지 예산서 적용 대상사업을 정하도록 하고 있다. 국가재정법이 예산편성의 일반원칙으로 성인지 예산서를 규정하고 있는 데 반해, 하위 법령인 시행령이 모법인 국가재정법의 성인지 예산제 취지를 훼손하고 있다. 정부는 이를 근거로 성인지 예산 대상 사업을 줄이고 있다. 예를 들어 교육과학기술부의 평생학습계좌제 사업, 보건복지가족부의 방과후돌봄서비스 사업, 문화체육관광부의 공공도서관 개관시간 연장 사업 등은 누가 보아도 성별 영향이 중요한 사업이지만 성인지 예산 대상에서 빠져있다.

문제점 4 – 세입 분야: 성인지 예산서에 포함되지 않는다

정부의 성인지 예산서는 세입 분야를 포함하지 않고 있다. 국가재정법에서 예산은 '세입과 세출'을 모두 포괄하는 개념이다. 정부의 재정 지출과 마찬가지로 세입에도 성별 차이가 존재한다면, 이에 대한 원인 분석과 개선 방향이 성인지 예산서에서 다루어져야 한다.

예를 들어 재산세 수입 구조에서 성별 차이가 확인된다면 그것의 원인은 무엇인지, 어떻게 완화해 갈 것인지를 따져야 한다. 또한 가정에서 이루어지는 여성의 무급 노동에 대해서도 성인지적 평가가 필요하다. 가사 노동이 공식 부가가치를 창출하지는 않아 재정 수입의 대상은 아니지만 국민경제에서는 중요한 역할을 담당하고 있기 때문이다.

문제점 5 – 국회 심의: 심의 체계 부재

현행 국가재정법 및 국회법은 정부가 제출한 예산안의 첨부 서류들(성인지 예산서, 조세 지출 예산서, 국가채무 관리계획 등)에 대한 구체적인 심의 절차를 규정하지 않고 있다. 이 때문에 예산안을 제외한 첨부 서류들에 대한 심의가 제대로 이루어지지 못하고 있는데, 성인지 예산서 역시 국회 심의의 사각지대에 놓여 있다.

이미 성인지 예산제가 법제화될 때부터 많은 사람들이 성인지 예산서에 대한 국회 심의 절차를 마련해야 한다고 제안했다. 하지만 국회는 이를 위한 아무런 조치도 취하지 않았다. 국회 역시 정부가 제출한 성인지 예산서를 그대로 용인하며 자신의 임무를 방기하고 있다.

성인지 예산제를 살리려면?

지금까지 현행 성인지 예산서의 문제점 다섯 가지를 살펴보았다. 2010년 성인지 예산서가 워낙 부실해 엄밀하게 말하면 국가재정법에 따른 성인지 예산서는 아직 없다고 보는 게 맞을 것이다. 성인지 예산제를 살리기 위한 개혁 방안을 제시해 본다.

첫째, 성인지 예산서에 성인지적 재정 전략이 담겨야 한다. 성인지 예산서가 본연의 모습을 가지기 위해선 정부의 성인지적 정책 방향, 성인지적 재정 배분 원칙, 성평등 제고 목표 등을 담은 재정 전략을 포함하고 있어야 한다.

둘째, 성인지 예산서에 포함된 사업들의 내용도 대폭 보완되어야 한다. 성인지 예산서가 '예산이 남성과 여성에게 미칠 영향을 미리 분석하고, 그 결과를 예산편성에 반영하기 위한' 법적 문서가 되기 위해서는 해당 사업 영역에서 존재하는 성별 격차에 대한 원인 분석, 해당 사업의 성별 영향 분석, 향후 사업 목표 등이 서술되어야 한다. 다행히 이 항목은 2010년 4월 국가재정법 개정을 통해 보완되었다(기획재정부 2010).

셋째, 성인지 예산서는 원칙적으로 정부의 재정 사업 전체를 대상으로 해야 한다. 현행 국가재정법은 예산(일반회계, 특별회계)과 기금을 모두 포괄하는 법이고, 국회가 심의하는 나라살림도 당연히 예산과 기금을 포함한다. 성인지 예산서 역시 이름은 예산이지만 중앙정부가 다루는 살림살이, 즉 예산과 기금을 모두 포함한 것으로 이해하는 게 상식이며 입법 취지이다. 이 항목 역시 2010년 4월 국가재정법 개정에 따라 성인지 예산서에 포함되도록 명시되었다. 하지만 앞에서 지적한 '시행령'의 한계로 인해 여전히 정부가 임의로 성인지 예산서 대상 사업을 축소할 위험은 남아 있다. 원칙적으로 성인지 예산서는 모든 예산 사업을 대상으로 삼아야 하고, 시행령은 적용이 제외되는 예외 사업을 명시하는 네거티브 방식으로 조문이 개정되어야 한다.

넷째, 성인지 예산서는 재정 지출 사업뿐만 아니라 세입 분야 분석도 포함해야 한다. 세입은 한국사회에 존재하는 성평등 구조의 문제점을 확연히 보여줄 수 있는 분야다. 성인지 예산서는 세입 구조에 대해서도 성인지적 평가를 수행해야 하며, 그것을 기초로 성인지 예산서는 성평등을 위한 조세 지출(또는 조세 감면)과 사업 지출을 제안해야 한다.

다섯째, 성인지 예산제를 다루는 국회 심의 체계가 마련되어야 한다. 무엇보다도 여성위원회와 예산결산특별위원회의 역할이 중요하다. 여성위원회가 예산결산특별위원회 '성인지 예산 분과' 역을 맡아 개별 상임위원회 심사 전에 전체적으로 성인지 예산서를 검토해 상임위원회에 의견을 제출하는 방식이 적절한 것이다. 이후에는 예산결산특별위원회가 다시 상임위원회 심사결과를 종합해 성인지 예산서 전체를 다루는 절차를 밟아야 한다.

다음 〈표20〉은 현행 성인지 예산제의 문제점과 개혁 방안을 요약한 것이다. 개혁 방안들은 모두 법령 개정과 관련이 있다. 성인지 예산제에 소극적인 정부와 국회를 압박하기 위해선 국가재정법, 국회법 등을 개정해 정부와 국회의 과제와 역할을 명확히 정해야 한다(오건호 2010a).

〈표20〉 현행 성인지 예산제 5대 문제점과 개혁 방안

항목	문제점	개혁 방안	법적 조치
총론	성인지 재정 전략 부재	성인지 재정 전략 제시	국가재정법
사업 자료	내용 부실	성별 영향 · 과제 제시	국가재정법: 개정
대상	정부 사업의 2.5%	원칙적 모든 재정 사업	국가재정법: 기금 포함 개정 시행령
세입 분야	미포함	포함	국가재정법
국회 심의	심의 체계 부재	심의 체계 마련	국가재정법 · 국회법

시민사회와 노동조합의 적극적 역할이 중요하다

성불평등이 구조화된 한국사회에서 성인지 예산제가 지니는 중요성은 아무리 강조해도 지나치지 않다. 그런데 2010년 처음 도입된 제도라는 점을 감안해도 성인지 예산제의 부실 정도는 도를 넘은 수준이다. 이에 성인지 예산제의 성공을 위해선 시민사회의 노력이 매우 중요하다. 표면적으로 성 중립적으로 보이는 정부 정책 속에서 성불평등 문제를 발견하기 위해서는 꾸준한 관심을 지닌 주체들의 활동이 필요하다. 시민사회가 매년 성인지 예산제 감시 활동을 왕성히 벌이며 정부와 국회가 포괄하지 못하는 성인지 예산의 한계를 지적하고 공론화해야 한다.

노동조합의 역할도 작지 않다. 성인지 예산서에 기금사업이 모두 제외되면서 가장 타격을 받은 부처가 노동부다. 결국 손해를 보는 사람은 여성 노동자들이

다. 또한 모성보호 범위, 사회보험 수혜, 공공기관 간접고용 등에서 여성 비정규직 노동자들이 겪는 차별을 시정하기 위한 조치들이 성인지 예산서에 반영될 수 있도록 활동을 벌여야 한다.

2011년에는 처음으로 2010년 성인지 예산 활동을 정리한 성인지 결산서가 선보일 것이다. 앞으로 더 많은 성인지 예산 관련 자료가 생산되면서 이를 둘러싼 의제들도 더욱 공론화될 것이다. 사실상 성인지 예산제를 무력화시키고 있는 이명박 정부에 대응하기 위해서는 여성계뿐만 아니라 시민사회, 노동운동의 적극적인 관심이 요청된다. 여성운동과 시민사회가 어렵게 만들어 낸 성과인데 잘 키워나가야 한다.

11
장

한국의 복지 재정, 역대 최고라고?

정부 예산안 논의에서 항상 중심으로 떠오르는 주제가 복지 재정이다. 여기서는 여·야 모두 서민의 대변자로 등장한다. 이명박 정부는 자신의 예산안에서 복지 비중이 역대 최고라며 자랑한다. 2010년 복지 지출 81조 원은 정부총지출에서 차지하는 비중이 27.8%로 역대 최고 수준이다. 그런데 왠지 찜찜하다. 한국의 복지 지출은 취약하다고 알려져 있는데 정부 발표 수치를 믿기가 어렵다. 이번 기회에 복지 재정의 현 주소를 살펴보자.

'역대 최고' 기록 갱신?

한국에서 "내년 복지 지출이 역대 최고이다"라는 홍보 문구는 앞으로도 매년 되풀이될 것이다. 이는 한국의 정부 지출 중 유독 복지 지출이 다른 분야와 달리 자연적으로 늘어나는 제도적 증가분을 가지고 있어 발생하는 현상이다. 현재 이 증가분이 복지 지출의 대략 4%를 차지한다. 이 증가율은 이명박 정부가 향후 5년간 설정한 정부총지출 평균 증가율 4.2%와 엇비슷한 수준이다. 복지 지출은 제도적 증가분만으로도 정부총지출 증가율을 따라잡는다. 따라서 정부가 자신의 재량 범위 안에 있는 다른 복지 항목 일부에서 물가상승분만 반영해도 복지 증가율은 정부총지출 증가율보다 높아지고, 그 비중은 역대 최고가 된다. 이렇게 이명박 정부는 정부총지출 대비 복지 지출 비중을 매년 최고 수준으로 만들어 내는 '멋진' 정부가 될 것이다. 이렇게 한국에선 어떤 반反복지 정권이 등장해도 '역대 최고'를 기록할 수 있다.

우리가 진짜 주목해야할 점은 정부총지출을 기준으로 계산되는 복지 재정 비중이 아니다. 한국 복지 지출 금액이 절대적 수준에서 어디에 서 있는지가 핵심 논점이다. 필자는 2000년대 초반 민주노총에서 사회복지 업무를 맡아 일했다. 매년 정기국회가 시작할 즈음에는 복지 단체들과 함께 서울 강남터미널 근방 기획예산처 앞에서 기자회견을 열곤 했다. 복지 예산을 이렇게 쥐꼬리만큼 올려서 어떻게 하느냐 항의하는 자리였다. 지금 기억으로 당시 한국의 복지 예산이 10조 원 안팎이었다. 이어 2004년에는 민주노동당의 원내 진출 덕택에 재정경제위원회 보좌관으로 국회 업무를 시작했다. 노무현 정부가 복지 지출을 늘리겠다고 여러 차례 공언했지만 집권 세력이 늘어놓는 홍보라고 여겨 귀 기울이지 않았다. 그런데 2005년 가을 노무현 정부가 제출한 다음해 예산안을 보고 깜짝 놀랐다. 내년 복지 지출 규모가 54조 원에 달한다는 것이다. 아니, 정말 이렇게 많이 늘어난단 말인가!

의문은 곧 풀렸다. 이 수치는 당시 노무현 정부가 국가재정법 제정안을 국회에 제출한 이후 새롭게 도입한 프로그램 예산제도에 따른 것이었다. 노무현 정부는 2004년부터 중기재정운용계획안을 마련하면서 정책 목표가 유사한 부처사업들을 하나의 프로그램으로 통합하여 편성하는 프로그램 예산제도를 시험하고 있었다. 그 결과 중앙 부처 약 3,000개의 단위사업들이 행정 · 국방 · 교육 · 사회복지 등 16개 분야로 헤쳐 모여 발표되었다.

당시까지 필자는 복지 지출액을 보건복지부 부처 예산과 동일한 것으로 이해하고 있었다. 그런데 여러 부처의 복지 관련 사업들이 복지 분야로 통합 계산되어 발표되면서 복지 지출이 크게 증가한 것처럼 보였던 것이다. 노무현 정부는 2004년 예산안부터 이러한 프로그램 예산제도를 적용하고 있었다. 부끄러운 이야기지만 재정경제위원회 보좌관이었던 필자가 이를 알게 된 것은 2005년 가을의 일이다. 갑자기 2006년 복지 지출이 54조 원이라는 발표를 접하고서야 말이다.

정부가 발표하는 복지 지출 수치, 믿을 수 있을까?

한국에서 분야별 프로그램 예산편성이 법적으로 공식화된 것은 국가재정법이 적용되는 2007년부터였다. 이때부터 정부는 중기재정운용계획을 입안하고 이를 국회에 제출해야 하는 의무를 지게 되었으며, 이를 위해서는 중기재정전략을 구성하는 분야별 재정 지출 편성을 작성해야 했다. 현재 프로그램 예산제도에서 복지 지출액은 전체 16개 분야 중에서 사회복지 분야(8번)와 보건 분야(9번)를 합쳐 계산된다. 여기에는 보건복지가족부의 보건복지, 국토해양부의 주거복지, 여성부의 여성복지, 노동부의 고용복지, 국방부의 군인복지 등이 모두 포함된다. 이제는 공무원연금, 군인연금 정부보전금도 모두 복지 지출인 것이다.

그런데 정부 부처별 사업들이 프로그램 예산제도에 따라 적절하게 자신의 '분야'로 배치되었는지에 대해선 검증이 필요하다. 만약 복지로 보기 어려운 사업임에도 정부 관료가 이를 복지 분야로 배치하면 이 사업은 복지 지출로 계산되어버린다. 복지 재정 규모 부풀리기가 가능하다는 이야기다.

〈표21〉 2010년 복지 분야 지출안 (단위: 억 원)

구 분	2009년 본예산	2010년 안	비 고
기초생활보장	71,427	73,001	생계 · 의료급여(58,639 → 59,487) 등
공적연금	238,197	260,884	국민연금 급여(76,745 → 90,780) 등
보육·가족·여성	19,297	22,976	영유아 보육료 지원(12,821 → 16,322) 등
노 동	117,547	123,190	실업급여(33,265 → 35,222) 등
보 훈	33,597	35,773	보훈보상금(18,072 → 18,926) 등
주 택	150,171	166,542	보금자리 주택(62,111 → 88,348) 등
취약계층·노인·청소년 등	46,994	55,461	기초노령연금(24,697 → 27,236) 등
보 건	68,663	72,571	건강보험가입자지원(46,828 → 48,615)
계	745,893	810,398	8.6% 증가

출처: 기획재정부(2009d), 〈2010년 예산 · 기금안 주요 내용〉 (2009. 9. 28).
* 정부 발표 자료에서 2009년 추경예산 기준 금액은 없고 본예산 기준금액만 제시되고 있음.

〈표21〉은 정부가 발표한 2010년도 정부총지출안에 담긴 복지 분야 지출 내역이다. 2009년 본예산 기준으로 74.6조 원이었던 복지 지출이 2010년에 81조 원으로 8.6% 증가한다(2009년 추경예산 80.4조 원을 기준으로 보면 2010년의 복지 지출은 실제 0.6조 원으로 단 0.7% 증가할 뿐이다). 부문별로 보면 공적연금 지출이 26조 원으로 가장 많고 다음이 주택복지 지출이다.

과연 정부가 복지 지출이라고 설정한 것들이 진짜 모두 복지사업들일까? 필자는 159개 복지 사업 모두를 하나씩 검증하고 싶은 심정이다. 하지만 무척 어려운 작업이다. 우선 프로그램 예산제도에 접근해 자료를 확보해야 하고, 이어 각 자료들을 해석할 수 있는 정책 능력이 요구되는 일이기 때문이다. 그래도 큰 덩어리 하나는 발견했다. 바로 주택 부문 복지 지출이다.

국토해양부 주택 부문 지출은 복지 재정에서 제외해야 한다

주택 부문은 정부 복지 지출의 주요한 항목일 수 있다. 예를 들어, 보건복지부가 주관하는 기초생활수급자 주거급여 · 입국 한인 국민임대주택 입주비 · 농어촌 장애인 주택개조사업 등은 실제 당사자에게 직접 주거복지가 전달되는 사업들이다.

그런데 한국 정부는 국토해양부가 주관하는 주택 관련 사업을 모두 복지 지출로 간주하여 발표하고 있다. 〈표22〉를 보면 이 금액만 2009년 추경예산 기준으로 16.8조 원, 전체 복지 지출 80.4조 원의 약 21%에 이르는 금액이다.

〈표22〉 국토해양부 소관 주택 부문 지출 현황 (단위: 억 원, %)

구분	2009		2010		증감액 (B-A)	증감률 (B-A)/A
	본예산 (계획)	추경(계획 변경)(A)	예산 (계획)안	예산 (계획)안(B)		
[일반회계 및 특별회계]	1,478	3,866	1,180	1,800	−2,066	−53.4
주택시장안정 및 주거복지향상	1,478	3,866	1,180	1,800	−2,066	−53.4
• 주택가격조사지원	648	648	635	635	−13	−2.0
• 주택정책지원	10	10	11	11	1	10.0
• 주거환경개선	820	3,208	535	1,155	−2,053	−64.0
[국민주택기금]	148,694	164,249	165,363	165,363	1,114	0.7
임대주택건설	46,729	67,203	64,909	64,909	−2,294	−3.4
• 국민임대주택 (영구임대 포함)	35,729	54,103	42,632	42,632	−11,471	−21.2
• 공공임대주택	11,000	13,100	22,277	22,277	9,177	70.1
분양주택건설	14,400	14,400	22,739	22,739	8,339	57.9
• 공공분양	5,500	10,500	22,739	22,739	8,339	57.9
• 후분양	8,900	3,900				
수요자융자	72,468	66,136	57,677	57,677	−8,459	−12.8
• 근로자서민주택구입	30,080	15,436				
• 저소득가구전세	11,500	13,312	56,977	56,977	−8,459	−12.9
• 근로자서민전세	30,188	36,688				
• 매입임대	700	700	700	700	0	0.0
주택개량사업	1,180	1,334	100	100	−1,234	−92.5
기타	13,917	15,176	19,938	19,938	4,762	31.4
계	150,172	168,115	166,543	167,163	−952	−0.6

출처: 국회예산정책처(2010a), 《2010년도 대한민국 재정》 181쪽.

* 2010년의 경우 공공분양과 후분양 사업은 공공분양 사업으로 근로자서민주택구입, 저소득가구전세 및 근로자서민전세 사업은 주택구입 · 전세자금 사업으로 통합됨.

* 국토해양부의 《2010회계연도 예산개요》 (2010. 1)을 토대로 국회 예산정책처가 재구성.

과연 국토해양부 소관 주택 부문 지출을 복지 재정으로 포함하는 것이 적절한 것일까? 여기에 포함된 거의 대부분의 사업들이 국민임대주택 건설 융자, 주택구입 자금 및 전세 자금 융자 등 국민주택기금의 융자 사업이다. 융자금은 주거자나 건설 사업자에게 빌려주는 돈으로 이후 회수되는 재정이다. 상식적으로 융자금 전체를 복지 지출로 보는 건 어불성설이다. 굳이 이것을 복지 지출에 포함하고 싶다면 융자액 전체가 아니라 융자금 이자와 시장금리 차액만을 계산하는 것이 옳다.

주택융자 지출 전체를 사회복지 재정에 포함시키는 정부의 예산 분류 방식은 사회복지 지출에 대한 국제 기준에 비추어 볼 때도 부적절하다. OECD 기준에 의하면, 사회복지 지출Social expenditure이란 '가구 또는 개인이 사회적 위험에 처해 있는 동안 공적 제도에 의하여 제공되는 사회적 급여Social benefit 및 재정적 지원Financial contributions'을 의미한다. 이러한 정의에 따를 경우 사회복지 지출에 포함되는 주거Housing란 주거비용과 관련된 임대비용 보조금 및 기타 현물급여로 정의되며, 세출 구조에서 보면 기초생활보장제도의 '주거급여'가 사회복지 지출의 대표적인 예다.

따라서 국토해양부 주택 부문 지출 16.8조 원이 복지 재정에 포함되는 것은 적절치 않다. 거의가 융자금이고 나머지도 주택 시장, 주거 환경에 관련된 것이어서 특정 개인에게 직접 주거복지 혜택을 제공하는 것으로 보기 어렵기 때문이다. 매년 정부의 연구의뢰를 받아 OECD 제출용 복지 지출 보고서를 작성하는 한국보건사회연구원도 주거비용 지원, 임대료 보조 등은 주거복지로 간주하지만 융자금, 주택 관련 정책 지출 등은 복지 지출에 포함시키지 않고 있다. 한국보건사회연구원은 "모기지론, 공사비용 보조, 공공시설 비용에 대한 보조와 같은 다른 형태의 주거 지원은 사회적인 속성을 가질 수 있지만 그런 시설이 저소득 가구에 직접적으로 제공될 때에만" 복지 재정에 포함될 수 있고 나아가 "그러한 지원을 측정할 때의 방법에 대한 국제적인 합의는 없다. 따라서 현재로는 그런 주거 지원은 OECD 기준 복지 지출에 포함되지 않는다"고 명시하고 있다(보건복지가족부 · 한국보건사회연구원 2009: 40).

건강보험 지출은 복지 재정 계산에 포함해야

그런데 또 한가지 중요한 문제가 존재한다. 이번엔 반대의 경우다. 현재 국가재정 체계가 지닌 구조적 틈새로 인해 실제 복지 재정 계산에서 누락된 복지 지출이 있다. 바로 건강보험 급여 지출액이다. 현행 국가재정법은 일반회계, 특별회계, 기금을 토대로 구성된다. 사회보험 중 고용보험, 산재보험, 국민연금은 모두 기금 형식의 재정구조를 가지고 있어 정부총지출에 포함되고 있다.

그런데 유독 건강보험만 아직까지 기금으로 전환되지 못하고 국민건강보험공단이라는 공공기관의 일반회계로 관리되고 있다. 처음부터 중앙집중적으로 도입된 다른 사회보험과 달리 수백 개의 지역, 직장 조합주의 방식으로 시작한 건강보험은 2000년 지역과 직장을 통합해 하나의 금고로 발전했지만 아직 국가재정법상 기금으로 전환하는 절차를 밟지 못한 것이다. 국가재정 회계에서 어처구니없는 사각지대가 존재하는 것이다.

따라서 OECD 국제 기준에 맞추려면 건강보험 지출액을 복지 재정 안으로 포함시키는 게 옳다. 조속히 건강보험 재정을 기금화 하여 정부총지출로 다루어질 수 있도록 국가재정법을 개정하는 것이 바람직하다. 이렇게 될 경우 한국의 복지 지출 규모는 2009년 기준으로 23.6조 원이 늘어날 것으로 추정된다. 2009년 건강보험공단의 건강보험사업 지출 32.9조 원 중 이미 복지 분야 재정에 포함된 정부 지출액 6.3조 원(보험료 부담 1.5조 원, 국고보조금 4.8조 원)을 공제한 나머지 23.6조 원이 새로 복지 재정으로 대우되어야 한다.●

한국의 복지 재정 규모, 국제 기준으로 따져보자

그러면 국제 기준으로 한국의 복지 재정 규모는 정확히 얼마일까? OECD 복지 지출 통계는 여러 차례 검증 작업을 통해 생산되는 까닭에 몇 년이 지나서야 공개된다. 그래서 2010년 8월 현재 OECD에서 구할 수 있는 가장 최근 수치가 2005년 자료이다. 국내에선 한국보건사회연구원이 결산 자료를 기초로 한국의 복지 지출을 OECD 방식으로 재구성해 발표하는데, 2007년 수치가 발표되어 있다(각 수치들은 12장에서 보게 될 것이다). 다른 나라에 비해 복지 지출이 다소 빠르게 변화하고 있는 한국에겐 다소 철지난 수치일 수 있다. 이에 필자가 거칠게나마 2009년 기준 한국의 복지 재정 규모를 재구성해 보았다.

우선 2009년 중앙정부 복지 분야 지출 80.4조 원에서 주택 부문 지출 16.8

● 이 금액은 국민건강보험공단 홈페이지 경영공시 중 〈2009년도 예산 현황〉 수치를 기초로 필자가 계산한 것이다.

조 원을 제외하자(기초생활보장제도의 주거급여, 지방정부의 개별 주거복지 지출은 이미 보건복지부와 지방정부의 복지 지출에 포함되어 있음). 이어 건강보험 지출에서 중앙정부 복지 분야 지출에 포함되지 못한 23.6조 원을 추가해야 한다.

여기서 잊지 말아야 할 것이 지방정부의 복지 지출이다. OECD 기준에서 국가재정은 중앙정부와 지방정부를 모두 포괄한다. 따라서 지방정부가 자체적으로 지출하는 복지 사업이 있다면 전체 복지 재정에 포함되어야 한다. 이 금액은 2009년 기준 12.9조 원에 달한다. 이 수치는 2009년 지방정부 전체 지출 137.5조 원 중 복지 분야 지출 26조 원에서 이미 중앙정부 복지 지출에 포함된 국고보조금 13.1조 원을 뺀 수치이다(행정안전부 2009: 24).

마지막으로 산정하기 어렵지만 고려해야 할 항목이 복지 사업 관리운영비이다. 한국의 예산 체계에서는 복지 사업 관리운영비가 복지 지출에 포함된다. 예를 들어 2009년 국민건강보험공단의 관리운영비가 약 0.6조 원, 국민연금공단의 관리운영비가 약 0.5조 원에 달한다. 그런데 이 돈은 정부의 복지 재정에서는 연금 부문 지출로 계산되지만, OECD 복지 재정 기준에선 관리운영비는 복지 지출로 간주되지 않는다. 따라서 국민연금 · 공무원연금 · 사학연금 · 군인연금 등 4대 연금공단과, 건강보험 · 산재보험 · 고용보험 등 다른 사회보험 공단, 기타 복지관련 사업의 관리운영비는 복지 재정 계산에서 제외되어야 한다. 현재로선 이러한 관리운영비 총액을 필자가 계산하기는 어렵지만 많게 잡아도 5조 원은 넘지 않을 것으로 추정된다.

〈표23〉 OECD 기준 한국의 2009년 복지 재정 규모 재구성

항 목	금 액
중앙정부 복지 지출	80.4조 원
주택 부문	− 16.8조 원
건강보험 지출(중앙정부 지출 미포함분)	+ 23.6조 원
지방정부 자체 복지 지출	+ 12.9조 원
소 계	100.1조 원
기타 관리행정 비용 (사회보험공단 운영비 등)	− ∝(최대 5조 원)
합 계	95~100조 원

이제 2009년 한국의 복지재정 규모를 정리해 보자. 중앙정부의 복지 재정 80.4조 원에서 주택 부문 지출(16.8조 원)을 제외하고, 대신 건강보험(23.6조 원)과 지방정부 몫(12.9조 원)을 추가하면 100.1조 원이다. 여기에서 OECD 기준으로 복지에 속하기 어려운 관리행정 비용을 다시 공제하면 대략 95~100조 원일 것으로 보인다. 이는 2009년 GDP(1,063조 원) 기준 대략 9%대이다.

한편 현재 접할 수 있는 가장 최근의 OECD 평균 복지 지출 규모는 2005년 기준 GDP 20.6%이다. 이 수치가 크게 바뀌지 않았을 것으로 가정하면, 한국의 복지 지출 규모는 OECD 국가 평균에 비해 약 GDP 11% 포인트 낮다. 금액으로 대략 110조 원이 부족한 것이다. 흥미롭게도 2009년 한국의 국가재정의 규모도 OECD 기준으로 약 GDP 11% 포인트, 110조 원이 낮았다. 결국 국가재정의 부족분 110조 원이 복지 지출 부족분인 셈이다.

복지 지출 역대 최고? GDP 대비 비중은 낮아질 위험

그래도 한국의 GDP 대비 복지 지출 비중이 과거에 비해 더디지만 증가해 온 것은 사실이다. OECD 기준 한국의 복지 지출 비중은 1990년대 3%대, 2000년대 초반 5%대, 2005년 6.9%를 기록했고, 필자의 추정으로 2009년 9%대에 이르렀다. 아직도 OECD 국가들에 비하면 턱없이 부족한 수준이지만, 형식적이나마 복지 체계가 갖추어지면서 제도적 자연증가분이 일정한 역할을 하기 시작한 덕택이다.

앞으로는 어떨까? 복지 제도의 자연증가분, 인구고령화, 보육의 중요성 등을 감안하면 복지 지출이 크게 증가할 수밖에 없는 상황이다. 게다가 앞으로 매년 복지 지출을 역대 최고 수준으로 올려놓을 이명박 정부가 있지 않은가! 정말 그렇게 진행될까?

미래 전망은 어둡다. 이명박 정부가 국회에 제출한 '2009~2013년 중기재정운용계획안'에 따르면 앞으로 5년간 한국의 평균 명목경제성장률은 7.3%이다. 그런데 복지 지출 증가율은 6.8%로 경제성장률 아래로 설정했다. 재정 지출 통제 방침에 따라 정부총지출 평균 증가율은 이보다 더 낮은 4.2%이다. 따라서 이명박 정부 말대로 복지 지출은 정부총지출보다 높게 증가하므로 정부총지출 대비로는 '역대 최고'를 기록할 것이다. 그런데 경제성장률보다는 낮은 수준에서 증가하기 때문에 GDP 대비 복지 지출의 비중은 오히려 줄어들게 된다. 우리가 주목해야 할 것은 정부총지출 대비 복지 지출 비중의 최고 경신이 아니라, 한국 국민들이 만들어내는 부가가치인 국민총생산GDP 대비 복지 지출의 비중이 계속 낮아질 예정이라는 점이다. 지금까지 점진적으로 증가하던 GDP 복지 비중이 이명박 정부 들어 '역대 처음'으로 낮아지는 일이 벌어진다. 아직도 갈 길이 먼 한국의 복지 지출, 여전히 더딘 걸음이지만 조금씩이라도 증가해 왔는데 이명박 정부 아래에서 뒷걸음쳐야 하는 처지에 몰려 있다.

12
장

복지 수치 6남매, 대표 선수는 누구?

한국의 복지 수준을 파악하기 위해선 복지 재정 수치가 필요하다. 그런데 신문기사나 보고서마다 수치가 달라 종종 곤혹스럽다. 2006년 국가재정법 제정으로 예산과 기금이 통합되고, 분야별 프로그램 예산제도가 도입되었지만 아직 새로운 국가재정 체계가 잘 알려져 있지 않은 탓이다. 또한 한국 정부의 복지 지출 산정 방식과 국제 비교에 사용되는 OECD 방식이 다른 것도 주요 이유다. 현재 우리가 주위에서 접할 수 있는 복지 수치는 대략 여섯 개다. 이 장에서 복지 재정 수치를 교통 정리해 보자.

하나: 프로그램 예산제도에 따른 복지 지출 81조 원(2010)

첫 번째 복지 재정 수치는 중앙정부가 프로그램 예산제도에 따라 계산해 발표하는 복지 분야 지출 금액이다. 〈표24〉에서 보듯이 현재 한국의 정부총지출에서 복지 지출은 분야에선 사회복지와 보건을 통합하고, 회계에선 예산과 기금을 합쳐 기초생활보장 · 공적연금 · 보건의료 등 12개 부문으로 구성된다. 2009년 정부총지출안에 따르면 복지 지출액은 예산 25.9조 원, 기금 55.7조 원을 합친 81.0조 원이다. 다른 재정 지출 분야와 비교해 기금 비중이 큰 이유는 복지 분야에 사회보장성기금(국민연금기금, 고용보험기금 등)이 포함되어 있기 때문이다. 만약 국민건강보험마저 기금으로 전환될 경우 복지 지출에서 기금이 차지하는 비중은 훨씬 더 늘어날 것이다.

〈표24〉 복지 분야 지출 규모: 2005~2010년 (단위: 억 원, %)

		2005	2006	2007	2008	2009		2010 (안)	연평균 증가율	비 고
						본예산	추경			
분야별	• 사회복지	328,626	505,153	560,957	629,134	677,229	734,196	737,827	18.8	기초생활보장 등 9개 부문
	• 보건	50,261	55,108	52,891	59,042	68,663	69,955	72,571	7.9	보건의료 등 3개 부문
회계별	• 예산	146,729	172,516	168,185	206,391	232,177	262,878	259,107	12.7	6개 부처 일반 및 특별회계
	• 기금	232,158	387,745	445,663	481,785	513,717	541,273	556,868	21.1	9개 부처 19개 기금
부문별	• 기초생활보장	46,225	53,438	65,831	72,716	71,427	79,803	73,001	10.1	기초생활급여 등
	• 취약계층 지원 등	11,685	14,634	19,329	35,072	46,995	63,303	55,461	41.4	기초노령연금, 장애수당 등
	• 보육·가족·여성	6,786	9,426	12,173	16,690	19,295	19,567	22,976	28.0	영유아보육, 여성정책 등
	• 공적연금	160,582	172,025	189,955	214,285	238,197	238,197	260,884	10.2	4대 공적연금
	• 노동	78,341	93,186	104,294	104,936	117,547	146,846	123,190	11.1	실업급여, 산재급여 등
	• 보훈	25,006	26,985	29,710	31,291	33,597	33,597	35,773	7.4	보훈연금 등
	• 주택	–	135,459	139,664	154,145	150,171	152,883	166,542	4.3	국민임대주택 건설 등
	• 보건의료	8,686	10,605	9,888	11,718	14,544	15,835	16,303	14.4	저소득층 의료비 지원 등
	• 건강보험지원	40,375	42,962	41,350	45,539	52,040	52,040	53,827	6.1	건강보험 국고지원 등
	• 식의약품 관리	1,200	1,541	1,654	1,785	2,080	2,080	2,441	15.5	
	복지재정 합계	378,887	560,261	613,848	688,176	745,893	804,151	810,398	17.4	
	(정부총지출 대비 비중)	(18.2)	(25.0)	(25.7)	(26.2)	(26.2)	(26.6)	(27.8)		

출처: 국회예산정책처(2009c), 〈복지재정 운용구조와 쟁점과제〉 1쪽.

* 취약계층 지원 등에는 취약계층 지원 부문, 노인 · 청소년 부문 및 사회복지일반 부문이 포함.

또한 〈표24〉를 통해 지난 6년간 복지 분야 지출 현황도 알 수 있다. 복지 지출액은 2005년 38조 원으로 정부총지출의 18.2%에 불과했으나, 이후 계속 증가해 2010년에는 81조 원으로 27.8%에 이른다. 이 기간 복지 지출의 증가율은 17.4%로 같은 기간 정부총지출 증가율 7.1%에 비해 두 배 이상 높았다. 하지만 이명박 정부 들어 복지 지출 증가율은 6.8%로 낮아질 예정이다. 그런데도 이명박 정부가 홍보하듯이 정부총지출 대비 복지 비중은 '역대 최고'를 기록할 것이다.

중앙정부의 복지 지출 금액은 현재 국내에서 논의되는 가장 공식적인 복지 수치다. 하지만 여전히 '국내용'임을 잊지 말자. 앞에서 지적했듯이 프로그램 예산제도가 임의적으로 적용되고 있고, 국제적 기준에도 부합하지 못하는 한계를 지니고 있다.

둘: 보건복지가족부 지출 31조 원(2010)

두 번째 수치는 보건복지가족부의 지출 금액이다. 과거에는 복지 예산을 지칭할 때 복지 부처의 지출 금액을 인용해 왔는데 이러한 관행이 아직도 남아 있다. 다음 기사를 보자.

> "대표적 '민생 예산'이라고 할 수 있는 복지 예산이 상임위원회 심사 과정에서 당초 정부 제출안보다 1조 원 이상 증액됐다. 국회 보건복지가족위원회는 8일

전체회의를 열고 총 32조 2,062억 원의 보건복지가족부 예산안을 통과시켰다. 이는 당초 정부가 요구한 내년도 예산 31조 645억 원보다 1조 1,417억 원 늘어난 것이다" (〈서울신문〉 "늘어난 복지 예산 1조 원 운명은", 2009. 12. 10).

위 신문 기사를 보고 2010년 복지 예산이 32조 원이라고 이해하면 곤란하다. 이 금액은 보건복지가족부에게는 중요한 수치이나 일반 국민에겐 전체 복지의 일부분에 불과하다. 따라서 보건복지가족부 수치를 사용할 때는 반드시 부처 복지 지출임을 밝혀야 한다.

〈표25〉 2010년 보건복지가족부 예산안 (단위: 억 원)

구 분	'09예산		'10예산(안)(b)	증감(b−a)	%
	당초	추경 예산(a)			
예 산	184,355	197,100	194,045	△3,055	△1.5
기 금	99,267	99,267	116,600	17,333	17.5
총지출	283,622	296,367	310,645	14,278	4.8

출처: 보건복지가족부(2009), 〈2010년도 보건복지가족부소관 예산및기금운용계획(안)개요〉.
* '09예산, '10예산(안) 용어는 엄격히 '예산 · 기금(안)' 혹은 '정부총지출(안)'으로 표현되는 게 옳으나 기존 관행에 따라 예산 용어를 기금을 포함하는 광의로 사용하고 있다. △는 마이너스.

위 〈표25〉는 2010년 보건복지부 예산안 내역이다. 2009년 보건복지가족부 소관 지출은 29.6조 원(추경 기준), 정부가 국회에 제출한 2010년 예산안 금액은 31조 원이다. 여기서 관심을 끄는 것은 기금의 역할이다. 2010년 보건복지가족부 소관 지출은 전체 규모로는 1.4조 원(4.8%) 늘어난다. 하지만 그 안의 내용을 들여다보면 예산은 0.3조 원(1.5%) 감소한 반면 기금이 1.7조 원(17.5%) 증가했다. 이명박 정부가 일반조세로 감당해야 하는 예산 지출을 가능한 통제하고 대신 보험료(국민연금기금), 담배부담금(건강증진기금) 등 비非조세 재원인 기금을 활용하고 있음을 알 수 있다. 예를 들어 한부모가족자영지원(559억 원), 난임부부지원보조(254억 원) 등은 일반회계 지출 사업이었으나 각각 복권기금, 건강증진기금으로 이전되기까지 했다. 정부 예산이 담당해야 할 책임을 다양한 자체 수입을 가지고 있는 기금에게 넘기고 있는 것이다(국회예산정책처 2009c: 123).

 셋: 기금을 제외하고 예산에서만 지출되는 복지 금액 26.3조 원(2009)

세 번째 복지 수치는 기금을 제외하고 예산에서만 지출되는 복지 금액이다. 현행 프로그램 예산제도가 예산과 기금을 통합해 다루고 있지만 여전히 정부 예산회계를 중심으로만 정부 지출을 이해할 때 이런 일이 생긴다. 우선 앞의 〈표24〉의 전체 복지 분야 중 예산회계의 지출 금액만을 복지 수치로 이야기할 수 있다. 이 경우 2009년 복지 예산은 26.3조 원이 될 것이다(추경 기준). 또한 보건복지가족부의 예산 지출만을 복지 금액으로 인용할 수도 있다. 다음 기사를 보자.

> "2008년 우리나라 가계가 사교육비로 쓴 돈 18조 7,230억 원은 2008년도 우리나라 사회복지 분야 예산(18조 4,613억 원)보다 많고…"(〈한겨레〉 2009. 3. 30).

한국의 복지 지출 체계에 대해 포괄적 이해가 없는 사람이 이 기사를 보면 한국의 사회복지 규모가 18조 원이라고 생각할 수 있다. 필자의 추측으로 이 수치는 보건복지부 지출 중 예산 수치를 활용한 것으로 보인다(보건복지부 2009년 본예산 18조 4,355억 원을 2008년 수치로 혼동한 것으로 추정됨). 이제 한국의 국가재정에서 기금 역시 공적으로 조성되고 정부가 관리하는 재원으로 정부총지출의 3분의 1을 차지하는 돈이다. 만약 복지 수치를 이야기할 때는 기금이 제외된 금액이라면 이것을 분명히 밝히고 사용해야 한다.

넷: OECD 기준 공공복지 지출 GDP 6.9%(2005)

네 번째 복지 수치는 OECD 기준의 공공복지 지출Public social expenditure 금액이다. 이것은 국제적으로 비교 가능한 가장 권위 있고 객관적인 수치로 학계, 언론에서 종종 인용된다. 다음 기사를 보자.

> "(2005년 한국의) 사회복지 지출 비율은 6.87%로 나타났습니다. 그러나 경제협력개발기구, OECD 가입국의 평균 사회복지 지출 비율은 20.7%로 나타나 우리보다 세 배나 높았습니다" (〈MBC 뉴스〉 "국내 사회복지 지출, OECD 국가 평균 1/3 수준", 2008. 11. 20).

OECD는 매년 자신이 정한 복지 산정 기준에 따라 각 회원국에 복지 규모를 보고하게 하고 이를 검증한 후 발표하고 있다. 일반적으로 이 수치는 사후 결산 및 검증 작업으로 3~4년 늦게 공개된다. 현재 구할 수 있는 최근 자료는 2005년 수치다. 〈표26〉은 최근 OECD 홈페이지에 공개된 복지 수치를 정리한 것이다. 앞의 기사처럼 한국 정부가 지출하는 복지 규모(공공복지 지출 규모)는 2005년 GDP 6.9%이다. OECD 평균 20.6%의 3분의 1에 불과하다.

〈표26〉 OECD 주요 국가의 사회복지 비중 (단위: GDP %, 2005)

	스웨덴	프랑스	독일	영국	미국	일본	한국	OECD 평균
공공복지(A)	29.4	29.2	26.7	21.3	15.9	18.6	6.9	20.6
법정민간복지(B)	0.4	0.4	1.1	0.8	0.3	0.5	0.6	0.6
사회복지(C=A+B)	29.8	29.5	27.9	22.1	16.3	19.1	7.5	21.2

출처: OECD(2009d), StatExtracts (http://stats.oecd.org/wbos/Index.aspx?datasetcode=SOCX_AGG.).
* 법정민간복지는 질병수당, 의무적 민간보험료 등 법으로 정해진 민간부문 복지 지출.

한국에서 특히 OECD 수치를 주목해야 하는 이유는 한국 정부가 발표하는 복지 분야 수치와 OECD 복지 수치가 다르기 때문이다. 앞서도 밝혔듯이 한국 정부가 발표하는 복지 분야 지출에는 사실상 복지로 포함하기 어려운 주택 부문 지출이 포함되고, 핵심 복지 재정인 건강보험 지출이 제외되는 등 OECD 기준과 불일치하는 면이 존재한다.

이에 한국 정부는 매년 국책 연구기관인 보건사회연구원에 정부 복지 지출을 OECD 기준에 맞추어 재산정하도록 연구의뢰를 하고 이 결과를 OECD에 보고하고 있다. 국제 보고에 비해 국내에서는 2년 일찍 한국 수치가 공개되는

데, 〈표27〉에서 보듯 OECD 기준으로 산정한 2007년 한국의 공공복지 지출은 GDP 7.48%이다.● 한편 앞서 서술했듯 필자의 계산에 따르면 2009년 OECD 기준 한국의 공공복지 지출은 약 90조 원대 후반, GDP 9%대로 추정된다.

〈표27〉 OECD 기준 한국의 사회복지 지출 비중 (단위: GDP %)

	2001	2002	2003	2004	2005	2006	2007
공공복지 지출(A)	5.18	5.04	5.29	5.97	6.42	7.30	7.48
법정민간복지 지출(B)	0.59	0.51	0.57	0.60	0.57	0.58	0.59
사회복지 지출(C=A+B)	5.47	5.55	5.86	6.57	7.00	7.88	8.07

출처: 보건복지가족부 · 한국보건사회연구원(2009), 《2007년도 한국의 사회복지 지출 추계와 OECD국가의 노후소득보장체계》.

다섯: OECD 기준 사회복지 지출 GDP 7.5%(2005)

다섯 번째 복지수치는 OECD 공공복지 지출에 법정민간복지 지출Mandatory private social expenditure을 포함한 금액인 사회복지 지출Social expenditure이다. 법정민간복지는 민간 기업이 법에 의해 지출해야 하는 법정퇴직금, 출산휴가급여 등을 의미

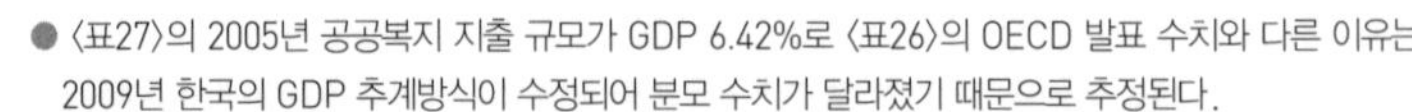

● 〈표27〉의 2005년 공공복지 지출 규모가 GDP 6.42%로 〈표26〉의 OECD 발표 수치와 다른 이유는 2009년 한국의 GDP 추계방식이 수정되어 분모 수치가 달라졌기 때문으로 추정된다.

한다. 이 지출은 비록 민간이 수행하지만 법에 토대를 둔 의무 지출이어서 '공적' 성격을 지닌다. 이에 OECD는 정부가 지출하는 공공복지 지출과 민간이 의무적으로 지출하는 법정민간복지 지출를 합하여 사회복지 지출로 칭한다. 〈표26〉을 보면 2005년 한국의 법정민간복지 지출은 GDP 0.6%이고 이것을 합한 전체 사회복지 지출은 GDP 7.5%가 된다.●

법정민간복지에서 오랫동안 논란이 되었던 것이 법정퇴직금에 대한 해석이다. 전통적으로 한국은 법정퇴직금이 법으로 정한 강제 지출이며 노동자의 퇴직 이후를 대비하는 제도로 간주하여, 전액 '복지 지출'로 OECD에 보고해 왔다. 하지만 2009년 OECD와 법정퇴직금 제도를 가지고 있는 한국, 일본, 이탈리아 3국이 협의한 결과 법정퇴직금 중에서 노동 보상적 몫을 제외하고 노령 복지 몫만 복지로 인정하기로 조정했다. 한국의 퇴직금이 적극적 이직 과정에서 발생하는 제도적 급여이고, 중간 정산이 일어나거나 연봉에 포함되는 등 '후불임금'의 성격을 가지고 있어 모든 금액을 '사회복지'로 보기 어렵다는 것이다. 이에 법정퇴직금 중 법정 은퇴연령에 도달하여 받는 퇴직금만 노령 복지로 인정되었는데, 2007년 기준으로 보면 전체 퇴직금 중 약 20%인 3.7조 원(GDP 0.45%)만 사회복지 지출로 계산되었다.

그 결과 지금까지 GDP 2%에 육박하는 법정퇴직금을 모두 사회복지로 포함

● OECD 기준에 따라 보건사회연구원이 2007년 한국의 복지 지출을 추계한 〈표27〉을 보면, 한국의 법정민간복지 지출은 GDP 0.5~0.6% 사이에서 크게 변하지 않고 있다. 이는 다른 나라에서도 비슷해 법정민간복지 지출은 규모가 그리 크지 않고 수치도 잘 변하지 않는다.

해 왔던 한국의 사회복지 지출 규모가 2007년에 오히려 감소하는 일이 벌어졌다. 2009년 초에 보도된 2006년 복지 지출을 다루었던 다음 기사를 보자.

> "한국보건사회연구원의 〈2006년 한국의 사회복지 지출 추계와 OECD 국가의 가족정책 비교〉 보고서에 따르면 국내 사회복지 지출은 2006년 말 현재 84조, 9300억 원으로 GDP 대비 10.01%로 집계됐다" (〈동아일보〉, "복지비 지출 GDP 10% 넘었다", 2009. 1. 5).

이 기사는 2006년 OECD 기준 사회복지 지출 비중을 GDP 10.01%로 소개하고 있다. 법정퇴직금 전액을 복지 지출로 포함한 보건사회연구원의 연구결과를 토대로 한 기사다. 하지만 〈표27〉에서 확인되듯이, 보건사회연구원은 최근 OECD 결정에 따라 최근 발표한 보고서에서 2006년 복지 지출 비중을 7.88%로 하향 조정했다.

현재 한국 정부는 퇴직금을 퇴직연금으로 전환하는 정책을 추진하고 있다. 이는 퇴직연금을 노후보장 체계의 한 층으로 삼으려는 것이지만 현행 퇴직금을 명실상부한 노령복지 제도로 전환하는 효과도 거둘 것이다. 이 경우 한국의 법정민간복지 비중은 늘어나고 이를 포함한 전체 사회복지 비중도 커질 것으로 예상된다.

여섯: OECD 기준 총사회복지 지출 11.4%(2007)

여섯 번째 수치는 OECD 기준 사회복지에 다시 종교기관 복지 활동, 기업의 사회공헌 활동 등 자발적 민간 복지 지출을 포함한 총사회복지 지출Gross social expenditure 금액이다. 근래 사회복지에서 민간의 역할이 강조되면서 OECD도 기업이나 민간에서 제공하는 자발적 민간 복지에 관심을 두고 있다. 이에 공공복지 지출, 법정민간복지 지출, 자발적 민간복지 지출을 합해 이를 '총사회복지 지출'이라고 부른다.●

> "보건사회연구원의 〈2007년도 한국의 사회복지 지출 추계 결과〉에 따르면 2007년도 한국의 총사회복지 지출은 98조 6,500억 원으로 GDP 대비 11.4%를 기록했다. … 총사회복지 지출이란 국가나 사회 및 기업이 노령 · 질병 · 실업 등의 사회적 위험에 처한 개인에 대해 지원하는 비용을 뜻한다" (〈경향신문〉 "GDP 대비 사회복지 지출 OECD 평균의 39% 불과", 2009. 11. 6. 기사 중 수치 오차는 필자가 수정했음).

이것을 근거로 한국의 사회복지 GDP 비중이 10%를 넘었다는 기사가 다시

● 또한 정부의 조세 지출 효과를 반영한 '순사회복지 지출'이라는 용어도 있지만 아직까진 엄밀한 추계가 어려워 널리 사용되고 있지는 못하다.

등장했다. 이 기사는 보건사회연구원이 자발적 민간복지를 합한 총사회복지 지출을 추계한 결과를 보도한 것이다. 일반 독자의 눈으로 공공복지 지출, 사회복지 지출, 총사회복지 지출을 구분하기 어려운 상황에서 언론이 충분한 설명 없이 총사회복지 지출 개념을 사용한 예다. 독자들의 주의가 필요하다.

정리: 가장 적합한 복지 수치는 'OECD 공공복지 지출'

지금까지 한국의 복지 지출을 보여주는 여섯 개 수치를 살펴보았다. 〈표28〉에 정리되어 있듯이, 금액으로 최소 26조 원에서 90조 원대, GDP 비중으로 최소 6%대에서 11%대까지 다양하다. 이 중 세 개는 한국의 정부총지출을 근거로, 나머지 세 개는 OECD 기준으로 만들어진 것이다.

〈표28〉 한국의 주요 복지 지출 수치 현황

항목		금액	참고
한국 정부 기준	복지 분야 정부 지출	80.4조 원 (2009)	프로그램 예산제도 편성
	보건복지가족부 지출	31조 원 (2010 예산)	과거 부처별 예산 관행
	예산회계 지출	26.3조 원 (2009)	기금 제외
OECD 기준	공공복지 지출	GDP 6.9% (2005) GDP 9% 추정 (2009)	정부 주체 지출 90조 원대 후반
	사회복지 지출	GDP 7.5% (2005)	공공복지 지출 + 법정민간복지
	총사회복지 지출	GDP 11.4% (2007)	사회복지 지출 + 자발적 민간복지

따라서 앞으로 복지 지출 수치를 사용할 때에는 그 기준을 명확히 밝혀야 한다. 여섯 개 수치 모두 전체 복지의 특정한 면을 보여주는 것이기에 기준을 제시하지 않으면 혼동이 발생하기 때문이다.

현재 한국에서 사용되는 공식적 복지 수치는 정부총지출에서 차지하는 복지 분야 지출로 2009년에는 80.4조 원, 2010년에는 81.2조 원(국회 의결 금액)이다. 국내에서 정부가 이 수치를 근거로 복지 지출 규모 논쟁을 주도하기에 이 수치의 영향력을 부정할 수 없다. 하지만 주택융자금의 포함, 건강보험 지출의 제외 등 이 수치가 지닌 한계 역시 간과하지 말아야 한다.

엄밀성을 기준으로 볼 때, 복지 지출을 가장 객관적으로 보여주는 것은 OECD의 사회복지 수치들이다. 이것들은 국제기구가 정한 기준에 따라 복지 지출을 계산한 것으로, 국제 비교에도 사용될 수 있는 장점을 지니고 있다. 이 중에서 필자는 OECD 기준 공공복지 지출이 가장 적합한 복지 수치라고 판단한다. 법정민간복지 역시 법적 의무 지출로 사회복지에 포함될 수 있지만 규모는 작은 반면 나라마다 차이가 존재하고 주체가 민간이라는 점에서 보조적으로 사용하는 것이 좋을 것이다. 공공복지와 민간복지의 혼합에 관심을 가진 연구자라면 총사회복지 지출에 더 주목할 수 있다. 하지만 아직까지 자발적 민간복지 수치에 대한 엄격한 검증이 어렵고, 복지 효과도 공공복지와 다를 것이기에 이것을 한 나라의 복지 수준을 대표하는 지표로 보기는 어렵다.

요약하면, 한국의 복지 지출을 가리키는 여섯 개 수치 중 OECD 기준 공공복지 지출 금액을 기준으로 복지 수준을 파악하는 것이 가장 적절하다. 이 기준을 적용하면 2009년 한국의 복지 지출은 정부의 복지 분야 발표 금액 80.4조 원보다 더 많은 90조 원대 후반으로 추정된다. 하지만 이 금액은 GDP 대비 약 9% 대 수준으로 OECD 평균 약 20%에 비하면 여전히 11% 포인트, 금액으로 약 110조 원이 부족한 금액이다. 2010년이면 한국이 OECD에 가입한 지 이제 15 년째다. OECD 회원국인 것만 자랑할 것이 아니라 가장 중요한 국가발전 지표인 복지 지출이 최소한 OECD 평균은 되도록 해야 할 것이다.

13
장

기로에 선 예비타당성 조사

2009년 인천공항철도가 사회적 문제로 떠올랐다. 인천공항철도는 민간투자사업으로 건설된 것인데, 승객 수요가 예측의 7%에 불과해 부족분을 정부 보조금으로 메워야 하는 상황이 발생했다. 필자는 관련 단체들과 '국민대책위'를 구성하고 조사에 참여했으나 사실상 진상 규명에 실패했다. 자료의 장벽을 넘지 못했기 때문이다.

대형 국책 사업들은 거의가 예비타당성 조사를 받는다. 그런데 인천공항철도는 총 4조 원이 소요되는 역대 최고 민간투자사업인데도 예비타당성 조사를 받지 않았다. 예비타당성 조사가 법제화(1999. 4)되기 세 달 전에 현대건설컨소시엄을 우선협상자로 지정해 예비타당성 조사 의무를 피해갔다. 예비타당성 조사는 사업 시작 전에 타당성을 검사하는 것이지만 사후에 타당성을 재검증하는 자료로도 쓰일 수 있다. 이 자료가 없어 인천공항철도 문제가 어디서 시작되었는지 검증하기 어려웠다.●

국가재정 낭비를 막는 예비타당성 조사

예비타당성 조사는 총사업비가 500억 원 이상이고 국가재정 지원이 300억 원 이상 소요되는 대규모 사업의 타당성을 사전에 평가하는 제도다. 이는 한국의 국가재정 체계에서 중요한 진전으로 평가받고 있다. 국민들이 정부 사업 대부분을 예산 낭비 사업이라고 생각할 만큼 불신이 큰 상황이어서 그 중요성은 더욱 크다.

예비타당성 조사가 도입되기 이전에는 사업을 추진하는 부처가 자체적으로 타당성 조사를 벌였다. 사업 추진자가 스스로 타당성을 조사하는 어처구니없는 사업 방식이었다. 결과는 우려한 대로였다. 1994~1998년 동안 진행된 자체 타당성 조사 32건 중 타당성이 없다고 판명난 것은 단 한 건에 불과했다. 이 한 건은 울릉도에 공항을 건설하는 선심성 '엉뚱' 사업이었다(국회예산정책처 2009e: 118).

그러나 예비타당성 조사가 도입된 1999년 이후 사정이 달라졌다. 다음 〈표 29〉에서 보듯이, 1999년 이후 2008년까지 총 378건이 조사를 받았는데 이 중 타당성이 있다고 판명된 사업은 216건(사업수의 57%, 사업비의 51%)에 불과했다. 추진 사업의 절반이 타당성이 없는 것으로 나올 만큼 정부 부처 사업들이 부실했던 것이다.

● 당시 정부 측 협약 서명자인 철도청장은 2010년 9월 현재까지 자리를 지키고 있는 정종환 국토해양부 장관이다. 여러 가지로 자료 얻는 데 난관이 많았다.

〈표29〉 예비타당성 조사 도입 이후 결과 (단위: 개, 조 원, %)

연도	조사대상		타당성 있음				타당성 낮음			
	건수	사업비	건수	비율	사업비	비율	건수	비율	건수	비율
1999	19	27.2	12	63	7.4	27	7	37	19.8	73
2000	30	14.0	15	50	6.1	44	15	50	7.9	56
2001	41	19.8	14	34	6.5	33	27	66	13.3	67
2002	30	16.2	13	43	6.2	38	17	57	10.0	62
2003	33	21.5	20	61	17.5	81	13	39	4.0	19
2004	55	18.6	41	76	13.3	72	14	25	5.3	28
2005	30	12.4	19	63	8.4	68	11	37	4.0	32
2006	52	20.5	28	54	9.3	48	24	46	11.2	52
2007	45	16.8	26	58	10.6	63	19	42	6.2	37
2008	43	11.9	28	65	5.4	45	15	35	6.5	55
계	378	178.9	216	57	90.7	51	162	43	88.2	49

출처: 조영철(2009), 〈예비타당성 조사 제도의 문제점과 개선과제〉《예산춘추》 2009년 봄호 43쪽.

〈표30〉 타당성 재조사에 따른 예산절감 규모

	2004	2005	2006	2007	2008	합계
재조사 사업 수(개)	5	7	19	20	17	68
예산 절감액(억 원)	970	4,724	30,389	13,915	26,637	76,635

출처: 기획재정부(2009e), 《2009 나라살림》 64쪽.

지금까지 예비타당성 조사는 국가재정 낭비를 막는 데 상당한 역할을 해 왔다. 〈표30〉을 보면 2004~2008년 5년간 예비타당성 조사에서 문제가 있어 재조사를 받은 사업 수가 68개에 달했고, 이 과정에서 총 7조 6,635억 원의 예산이 절감됐다.

집권 초기 이명박 정부는 국가재정을 효율적으로 관리하기 위해 예비타당성 조사를 강화하겠다고 밝혔다. 이는 감세로 인한 재정 부족분을 예산 절감을 통해 보전하겠다는 작은 정부론의 정책 기조에 따른 것이었다. 심지어 집권 초 마련한 '2008~2012년 중기재정운용계획'에서는 그 동안 예비타당성 조사를 회피하기 위해 의도적으로 사업비를 500억 원 이하로 축소하는 사례가 있었다며, 이후 400~500억 원 규모의 사업에 대해서도 '간이 예비타당성 조사'를 벌이겠다며 재정관리 의지를 드러냈다(기획재정부 2008: 178).

예비타당성 조사, 이명박 정부에 의해 무력화 되다

그런데 어찌된 일인지 집권 1년이 지나면서 입장이 정반대로 바뀌었다. 이 제도가 4대강 사업, '녹색 사업' 등 토목 사업을 통해 경기 부양에 나서려는 이명박 정부 스스로에게 불편했기 때문이다. 이명박 정부는 2009년 3월 국가재정법 시행령 개정을 통해 예비타당성 조사 면제 요건을 대폭 완화했다. 원래 예비타당성 조사 면제는 재무적 기준을 적용하기 어려운 문화재 복원 사업, 국방 관련 사업, 공공청사 신축 사업, 남북교류협력 사업 등에 한정되어 있었다.

그런데 〈표31〉에서 보듯이, 정부는 시행령을 개정해 '10. 지역 균형발전, 긴급한 경제 · 사회적 상황 대응 등을 위하여 국가 정책적으로 추진이 필요한 사업으로서 기획재정부 장관이 정하는 사업'을 예비타당성 조사에서 면제하도록 했다. 이제 정부는 마음만 먹으면 모든 사업을 '국가정책 사업'으로 여겨 예비타당성 조사 없이 추진할 수 있게 되었다.

〈표31〉 예비타당성 조사 면제 대상: 국가재정법 시행령(제13조 제2항) 개정 내용

<table>
<tr><th>종 전</th><th>개 정</th></tr>
<tr><td>1. 공공청사의 신 · 증축 사업</td><td>1. 공공청사, 교정 · 교육시설 신 · 증축 사업</td></tr>
<tr><td>2. 문화재 복원 사업</td><td>2. (좌 동)</td></tr>
<tr><td>3. 국가안보 관련 사업</td><td>3. (좌 동)</td></tr>
<tr><td>4. 남북교류협력 관련 사업</td><td>4. 남북교류협력, 국가간 협약 · 조약 사업</td></tr>
<tr><td rowspan="6">5. 그 밖에 재해복구 지원 등 사업 추진이 시급하거나, 법정 필수시설 등 예비타당성 조사 실익이 없는 사업</td><td>5. 단순개량 및 유지보수 사업</td></tr>
<tr><td>6. 재해예방 · 복구, 안전 문제 등 시급한 사업</td></tr>
<tr><td>7. 법령에 따라 추진해야 하는 사업</td></tr>
<tr><td>8. 수혜자에 대한 직접적인 현금 · 현물급여 지급 등 단순소득 이전을 목적으로 하는 사업(추가된 조항임)</td></tr>
<tr><td>9. 출연 · 보조기관의 인건비 및 경상비 지원, 융자사업 등과 같이 예비타당성 조사의 실익이 없는 사업</td></tr>
<tr><td>10. 지역균형발전, 긴급한 경제 · 사회적 상황 대응 등을 위해 국가 정책적으로 추진이 필요한 사업으로서 기획재정부 장관이 정하는 사업</td></tr>
</table>

이 개정은 4대강 사업 추진을 위한 노골적인 작업이었다. 정부는 예비타당성 조사 면제 항목 중 긴박한 사업 추진이 요구되는 '재해복구 지원'을 '6. 재해예방 · 복구지원'으로 수정했다. 재해예방이 왜 예비타당성 조사를 받지 말아야 하는지 이해하기 힘들다. 백 번 양보해서 정부의 설명대로 준설과 보 설치가 재해예방이

라고 해도, 이것이 6개월이 소요되는 예비타당성 조사를 받지 못할 만큼 긴박한 사업이라고 보기는 어렵다. 심지어 기획재정부는 시행령 개정 이후 '예비타당성 조사 운용지침'을 수정해 조사 기간을 기존 6개월에서 4개월로 단축했다. 불가피하게 예비타당성 조사를 받아야하는 경우에도 졸속으로 조사를 벌이겠다는 속셈이라고 밖에 이해할 수 없다.

위헌과 위법으로 얼룩진 4대강 사업

개정된 국가재정법 시행령은 법제 체계에서도 심각한 문제점을 지니고 있다. 시행령이 모법인 국가재정법이 정한 위임 범위를 넘어서고 있기 때문이다. 국가재정법 제38조(예비타당성 조사)는 "기획재정부장관은 대통령령이 정하는 대규모 사업에 대한 예산을 편성하기 위하여 미리 예비타당성 조사를 실시하여야 한다"라고 명시하고 있다. 특정 기준 이상의 대규모 사업은 예비타당성 조사를 거치라는 취지이다. 그런데 시행령이 규모 기준을 넘어 '정책적으로 필요한 사업'을 예비타당성 조사 대상에서 면제함으로써 모법의 의무 조항을 무력화하고 있다. 이는 국가재정법의 위임 한계를 벗어난 것이어서 헌법 위반에 속한다.●

● 대한민국헌법 제75조 "대통령은 법률에서 구체적으로 범위를 정하여 위임받은 사항과 법률을 집행하기 위하여 필요한 사항에 관하여 대통령령을 발할 수 있다"

이후 이명박 정부는 4대강 사업뿐만 아니라 대부분의 국책 사업들을 예비타당성 조사 없이 강행할 가능성이 높다. 예를 들어 이명박 정부가 2012년까지 총 50조 원을 들여 추진하는 '녹색뉴딜 사업'이 그렇다. 녹색뉴딜 사업에는 4대강 사업 외에 녹색교통망 구축(철도 건설, 환승 시설, 자전거 도로 등), 환경에너지타운 건설, 재해위험지구 정비 사업 등이 포함되어 있다.

결국 4대강 사업 예산 22.2조 원 중 핵심 사업인 준설, 보 설치 등을 포함해 총 89%가 예비타당성 조사에서 제외되었다(경실련 2009).또한 4대강 사업 예산이 국회에서 의결되지 않았는데도 공사를 착공하는 위법 행위도 공공연하게 자행되었다. 이에 2009년 11월 26일 약 1만 명이 참여한 국민소송단이 4대강 사업의 중단을 요구하는 행정소송을 내기도 했다.

예비타당성 조사가 지닌 구조적 문제점

앞으로 어떻게 해야 할까? 예비타당성 조사는 한국의 국가재정 체계에서 이루어진 개혁 중 하나다. 하지만 애초 이 제도 역시 구조적 문제를 안고 있었다. 핵심적인 문제는 두 가지다.

첫째, 예비타당성 조사는 사업평가에서 재무적 가치만을 협소하게 반영할 뿐 외부경제효과인 사회공공적 가치를 무시한다. 예비타당성 조사는 〈그림8〉에서 보듯이 경제성 분석, 정책적 분석, 지역균형발전 분석을 수행한 후 각 결과를 토대로 종합적인 결론을 내린다. 최종적으로 다기준분석수치AHP: Analytic Hierarchy

Process가 0.5 이상이면 사업 타당성이 있다고 평가한다.

〈그림8〉 예비타당성 조사 절차

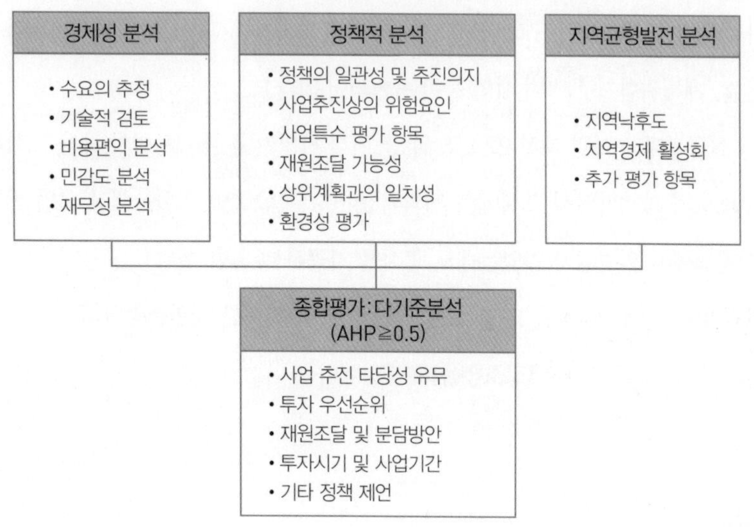

경제성 분석
• 수요의 추정
• 기술적 검토
• 비용편익 분석
• 민감도 분석
• 재무성 분석
정책적 분석
• 정책의 일관성 및 추진의지
• 사업추진상의 위험요인
• 사업특수 평가 항목
• 재원조달 가능성
• 상위계획과의 일치성
• 환경성 평가
지역균형발전 분석
• 지역낙후도
• 지역경제 활성화
• 추가 평가 항목
종합평가:다기준분석
(AHP≥0.5)
• 사업 추진 타당성 유무
• 투자 우선순위
• 재원조달 및 분담방안
• 투자시기 및 사업기간
• 기타 정책 제언

출처: 조영철, 〈예비타당성 조사 제도의 문제점과 개선과제〉 국회예산정책처, 《예산춘추》 2009년 봄호 45쪽.

이 때 결정적 영향을 미치는 것이 경제성 분석이다. 정책적 분석, 지역균형발전 분석은 사업 추진자의 주관성이 반영되기 때문에 사실상 경제성 분석만 통과하면 예비타당성 조사는 관문을 넘을 가능성이 크다. 경제성 분석에서는 비용편익 분석B/C: Cost-Benefit Analysis이 중요하다. 이것이 1이상이면 경제성이 있는 것으로 평가된다. 그런데 비용편익이 지나치게 재무적 가치로만 구성된다. 예를 들어 비용에선 재정비용 외의 환경비용이 포함되지 않고, 편익에선 사회기반시설이 지니는 외부경제효과(사회공공적 효과)가 제대로 반영되지 않는다.

〈표32〉 예비타당성 조사 결과 부적절하다는 판정을 받았음에도 강행된 사업 (2003~2007)

소관 부처	사업명	예비타당성 조사 결과				
		실시 연도	추정 총사업비	B/C	AHP	예산 지원액
구 철도청	충주-문경 철도건설	'03	5,912	0.96	0.488	64
구 건교부	부산정관산업단지 진입도로 건설	'03	2,807	0.94	0.483	822
구 건교부	부산지하철 1호선 연장 건설	'03	5,855	0.81	0.310	130
구 해수부	부산해양종합공원 조성	'03	5,473	0.65	0.192	10
구 청소년위	청소년스페이스캠프 조성	'03	1,457	0.35	0.411	265
구 건교부	대구도시철도 3호선	'04	12,191	1.01	1.461	418
구 과기부	원자력의학원 동남권분원 설립	'04	985	0.757	0.380	206
구 건교부	태안-만리포(소원) 국도(32호선) 확장	'04	700	0.56	0.411	29
구 복지부	대구경북 한방산업단지 조성	'04	1,272	0.41	0.207	81
구 재경부	영종도 북측-남측 간 도로	'04	1,218	0.39	0.479	676
구 건교부	안동-영덕간 고속도로 건설	'04	19,130	0.56	0.476	256
구 건교부	국도 42호선 확장(백봉령-달방댐)	'05	3,114	0.44	0.395	12
구 건교부	소요산-분계선 철도	'05	2,091	0.54	0.433	70
구 건교부	국도 79호선(북면-부곡) 확장	'06	745	0.61	0.322	10
구 건교부	국도 2호선(임해-암태)	'06	6,403	0.53	0.442	12
구 건교부	국도 77호선(신지-고금) 연도교	'06	761	0.59	0.479	10
구 해수부	부산북항대교 및 천마터널지원	'06	7,858	1.05	0.468	160
구 건교부	인덕원-병점 전철사업	'06	20,662	0.31	0.257	10
구 건교부	용문-홍천 단선전철	'07	5,072	0.4	0.367	10
구 건교부	국도 77호선 신설(임해-화원)	'07	3,408	0.174	0.336	10
구 문광부	국립중앙도서관 부산분관	'07	1,107	0.81	0.324	10
	21개 사업		108,221			3,271

출처: 국회예산정책처(2008a), 《2009년 예산안 분석 I》 208쪽.

둘째, 예비타당성 조사는 법률적으로도 한계를 지니고 있다. 현행 국가재정법은 예비타당성 조사를 수행하라는 의무만 명시할 뿐, 그 결과 처리에 대한 조항이 없다. 그 결과 〈표32〉에서 보듯이, 2003~2007년에 예비타당성 조사에서 평가수치AHP가 기준선인 0.5 미만임에도 사업이 강행된 것이 21개에 이른다. 예비타당성 조사 결과가 의미 있게 반영될 수 있도록 제도적 기준이 마련되어야 한다.

예비타당성 조사의 진보적 개혁 방안

예비타당성 조사를 어떻게 살려낼 것인가? 예비타당성 조사는 진보 진영에게 보수 정권의 재정 낭비를 막고 이를 공론화할 수 있는 중요한 제도적 토대가 된다. 비록 정부의 입맛대로 예비타당성 조사가 진행될 가능성이 높지만, 이 자료를 재검증하면 유의미한 정보를 얻을 수 있다. 또한 예비타당성 조사는 미래 진보 정권이 운용해야 할 재정 관리 수단이다. 진보적 예비타당성 조사 방안을 요구하고 현실화해야 한다. 이후 예비타당성 조사와 관련한 진보운동 세력의 과제는 다음 네 가지로 요약된다.

첫째, 예비타당성 조사를 무력화 한 이명박 정부의 개악 조치를 원상회복해야 한다. 이를 위해서 예비타당성 항목이 들어가 있는 국가재정법과 시행령 개정을 위한 국민운동이 필요하다. 특히 시행령이 본법의 취지를 훼손할 수 없도록 규정을 명확히 해야 한다.

둘째, 예비타당성 조사 주체의 개혁이 요청된다. 현재는 기획재정부 장관의 요청으로 '한국개발연구원KDI 공공투자관리센터PIMAC'가 총괄하여 예비타당성 조사를 수행한다. 관련 조사팀에 정부 정책 기조와 다른 가치를 지닌 이해관계자도 참여할 수 있어야 한다.

셋째, 예비타당성 조사의 평가 기준이 크게 바뀌어야 한다. 지금은 비용편익 분석에서 '시장성'을 반영한 재무적 가치가 절대적인 영향을 미치는 반면 환경 · 인권 · 고용 · 지역사회 등 사회공공적 가치는 제대로 반영되지 못하고 있다. 예비타당성 조사 사업이 국가가 수행하는 사회적 시설임을 감안하면 공공성을 반영하는 대안적인 평가 기준을 마련하고 적용하는 일이 무엇보다 중요하다.

넷째, 정부가 예비타당성 조사 결과를 무시할 수 없도록 관련 조항이 보완되어야 한다. 예비타당성 조사가 반영될 수 있도록 재조사 의무화, 심층 공청회, 고강도 예산심의 등 제도적 조치가 마련되어야 한다.

14
장

세금 먹는 하마, 민간투자사업

신자유주의는 작은 정부를 지향하면서 동시에 민간자본이 활성화되기 바란다. 그런데 국가재정을 통해 민간자본을 돕고 싶어도 재정 여력이 충분치 않다. 좋은 묘안이 없을까? 그래서 등장한 것인 민간투자사업민자사업이다.

민간투자사업은 애초 국가재정이 책임지던 철도 · 항만 · 도로 · 학교 · 복지시설 등 사회기반시설의 건설과 운영을 민간자본에게 맡기는 것이다. 정부는 초기 막대한 재정이 소요되는 건설비 부담에서 벗어나고, 민간자본의 이윤 활동을 지원하는 일석이조의 효과를 기대한다. 그런데 이 과정에서 민간자본에게 과도한 특혜가 지급되고 있다. 이에 대한 국민의 비판이 거세지자 2009년 7월 감사원조차 민간투자사업에 대한 대대적인 감사를 착수하기도 했다(감사원 2009).

현재 이명박 정부는 "재정 지출의 효과 극대화를 위해 민간투자사업을 지속적으로 확대하겠다"고 한다(기획재정부 2009b). 이제 국가재정을 논의하는 데 민간투자사업은 빠질 수 없는 주제가 되었다. 과연 이것이 국가재정의 효율성을 높이는 것인지, 세금 먹는 하마를 키우는 것인지 꼼꼼히 살펴보자.

민간투자사업, 재정효율성인가 세금 먹는 하마인가?

민간투자사업은 크게 수익형BTO: Build, Transfer, Operate 민간투자사업과 임대형BTL: Build, Transfer, Lease 민간투자사업으로 나누어진다. 수익형은 민간자본이 시설을 건설하고Build, 이것의 소유권을 국가에 이전하되Transfer, 일정 기간 자신이 직접 운영Operate해 시설투자비를 회수하는 제도다. 임대형 사업은 민간자본이 시설을 건설하고Build 국가로 소유권을 이전하는 것은Transfer 수익형과 동일하나, 자신의 운영권을 국가나 지방자치단체에게 빌려 주고Lease 임대료 형식으로 수익을 얻는 방식이다. 예를 들어 수익형 인천공항고속도로 민자사업은 직접 이용자에게 통행료를 거두고, 2009년 개관한 창원과학체험관 임대형 민자사업은 개별 방문객이 아니라 정부로부터 임대료를 전액 받는다. 일반적으로 수익형은 이용자의 사용료로 원리금 회수가 가능할 것으로 예상되는 철도 · 도로 등 사회간접자본SOC에, 임대형은 사용료로 회수가 어려운 학교 · 복지 등 사회서비스시설에 주로 적용된다.

1994년 '사회간접자본시설에 대한 민간자본유치촉진법'이 제정될 때는 수익형만 가능했다. 하지만 노무현 정부 시절인 2005년 초 · 중등학교, 하수관, 의료, 군숙소, 기숙사, 문화 시설 등 사회서비스시설에 대해서도 민간투자가 가능하도록 임대형 사업이 추가되었고 법명도 '사회기반시설에 대한 민간투자법'으로 변경되었다. 사회서비스시설은 도로 · 항만 등 일반 사회간접자본에 비해 사회복지 성격이 강해 수익성을 따지는 민간자본이 투자하기 어려운 영역이었는데, 정부가 임대 방식으로 수익을 보장하기 때문에 민간투자가 가능하게 된 것이다.

민간 사업자의 입장에서 보면 임대형 사업은 미리 임대료 총액이 정해지기에 투자 위험이 없지만, 수익형 사업에선 이용자의 수요에 따라 수입이 달라지기 때문에 투자 위험이 존재할 수 있다. 그래서 도입된 것이 '최소운영수입 보장제MRG: Minimum Revenue Guarantee'다. 이 제도는 민간투자사업이 운영과정에서 사업협약에 명시된 예측 수요에 이르지 못해 수입 부족이 발생할 경우 정부가 미리 정해진 기준(보통 예상 수입의 80~90%)만큼 민간투자자에게 운영 수입을 보장해주는 것이다.

정부는 민간자본이 공공부문에 투입되면 효율성이 증진되고 국가재정 부담도 줄어든다고 주장한다(조봉환 2008). 하지만 실제는 다르다. 정부의 입장에선 자신의 임기 기간에 초기 건설비 지출을 줄일 수 있겠지만, 국민의 입장에선 민간자본에게 특혜 수익을 제공하기 위해 비싼 이용료나 더 많은 세금을 부담해야 한다.

임대형 민간사업자는 임대료 형식으로 정부로부터 투자수익(5년 만기 국채수익률+∝)을 보장받는다. 아무런 투자 위험 없이 국채수익률에 가산율이 더 붙은 수익을 얻고, 더불어 건설 과정에서 가격 담합과 하도급 차액을 통해 막대한 추가 이익을 거둘 수 있다. 국회예산처 분석에 의하면, 2009년 5월까지 실시 협약이 체결된 임대형 사업에서만 정부가 향후 20년간 총 28조 원을 민간자본에게 지급해야 한다. 2013년 이후 매년 1조 4,000억 원 이상의 세금이 민간 사업자에게 임대료로 나가는 것이다(국회예산정책처 2009f).

수익형 민자사업의 특혜, 최소운영수입 보장제

수익형 사업에서 발생하는 세금 낭비는 '최소운영수입 보장제MRG'를 통해 이루어진다. 이 제도는 1999년 외환위기 이후 어려워진 건설 회사를 살리기 위해 도입되었다. 하지만 이는 자본의 투자 위험을 정부가 부담하는 특혜 조치이며 예측 수요 부풀리기 논란을 낳고 있기도 하다.

〈표33〉 주요 민자도로사업 정부보조금 현황 (2008)

사업명	수입 보장률	예측수입(a)	실제수입(b)	실제 수입률(b/a)	정부 보조금
인천공항고속도로	80%	2,775억	1,409억	50.8%	808억
천안논산고속도로	82%	1,508억	846억	56.1%	390억
대구부산고속도로	77%	1,758억	1,022억	58.1%	331억
서울외곽(일산/퇴계원)	90%	1,260억	980억	77.8%	280억

출처: 국회예산정책처(2009g), 《민자유치건설보조금사업 평가》 (2009. 5) 19쪽 재구성.

지금까지 진행된 수익형 사업을 보면 실제 수입이 예측 수입에 비해 턱없이 낮다. 그만큼 민간자본이 국고보조금을 더 받아 내기 위해 예측 수요를 과대 계상했다는 의혹이 커진다. 〈표33〉에서 보듯이 인천공항고속도로와 천안논산고속도로 등 대부분의 민자 고속도로 사업의 경우 실제 운영 수입이 예측 운영 수입의 절반을 조금 넘고 있고, 이에 정부는 약속한 최소수입 보장률에 따라 매년 수백억 원씩을 지원하고 있다.

민간투자사업 중 최악의 사례로 꼽히는 것이 인천공항철도이다. 인천공항철도는 2001년에 수익형 사업으로 협약이 체결되었는데, 정부가 30년의 운영기간 동안 예측 수요의 90%까지 수입을 보장해주는 사업이다. 그런데 인천공항철도가 운행을 시작한 2007년 이래 승객수가 예측 수요의 7% 내외에 불과해 정부는 2007년 1,040억 원, 2008년 1,666억 원을 지급했다. 결국 정부는 2009년 말 인천공항철도 중 민간투자자 지분을 한국철도공사가 1.2조 원에 인수하는 '민자계약 해지' 조치를 취했다. 건설 과정에서 특혜 의혹을 받고 있는 민간투자사업자와 정부가 서둘러 문제를 봉합하면서 그 부담을 한국철도공사에 떠넘긴 것이다.

2009년에 선보인 지하철 9호선도 눈여겨볼 민간투자사업이다. 9호선은 시설은 현대적이지만 요금은 다른 지하철과 동일하다. 과연 민간투자사업의 성과일까? 애초 지하철 9호선 민간투자사업자는 서울시에 1,582원의 구간 요금을 요구했다. 실시협약서에 민간투자자에게 보장된 실질수익률(8.9%)을 달성하기 위한 요금 수준이다. 하지만 지하철 9호선의 구간 요금은 다른 지하철과 동일하게 900원으로 정해졌다. 이 사업의 최소운영수입 보장률은 90%이다. 요금 차이만큼 막대한 보조금이 민간투자자에게 지급될 것이다.

2010년 초 〈연합뉴스〉에 서울시 모 자치구 의장의 신년 인터뷰 기사가 실렸다. 지난해 성과가 무엇이냐는 질문에 그는 이렇게 말했다. "지하철 9호선 기본요금을 900원으로 책정되도록 한 것이 가장 자랑스러운 성과"라고. 박수를 쳐야

할까, 울어야 할까?(〈연합뉴스〉 "서울 구의장에게 듣는다", 2010. 1. 7)

결국 최소운영수입 보장제에 대한 비판이 거세지자 2009년 10월 기획재정부는 앞으로 신규 민간투자사업에 대해선 최소운영수입 보장제를 폐지했다. 더 이상 이 제도를 유지하기엔 여론의 비판이 너무 거센 탓이었다. 이제 문제가 해결된 것일까? 시민의 세금이 지켜질 수 있을까?

이명박 정부의 민간투자사업 활성화 방안

민간투자사업은 1994년 도입 이후 지속적으로 증가하고 있다. 민간투자 집행액은 정부의 사회간접자본 재정투자 규모와 비교해 2003년 5.6%에 불과했지만 2008년에는 18.1%에 이른다. 특히 2008년 신규 수도권 고속도로망의 약 40%가 수익형 민간투자로 추진 중이고, 신규 학교 시설의 85%, 하수관거(여러 하수구에서 하수를 모아 하수 처리장으로 내려 보내는 큰 하수도관)의 41%가 임대형 민간투자로 건설되고 있다. 전통적으로 공공재정이 담당하던 사회기반시설마저 점점 민간자본의 몫으로 넘어가고 있는 것이다. 〈표34〉를 보면 체결된 사업협약 규모가 2009년 6월 기준 67조 원에 달한다.

그런데 2009년 이후 새로운 협약 체결이 저조하다. 2009년 경제위기가 주요한 원인이다. 게다가 최소운영수입 보장제마저 가능하지 않게 되었다. 민간자본이 원성의 목소리를 내기 시작했다. 마침내 이명박 정부가 민간투자사업을 활성화시키기 위해 나섰다. 최소운영수입 보장제를 폐지하는 대신 유사한 특혜 제도를 다음과 같이 신설했다(기획재정부 2009h).

〈표34〉 연도별 민간투자사업 규모 (협약 비용) (단위: 조 원)

	'95~00	'01	'02	'03	'04	'05	'06	'07	'08	'09.6	누계
BTO	12.8	5.0	2.9	5.3	5.4	6.5	3.9	4.3	6.5	0.8	53.4
BTL	–	–	–	–	–	0.3	2.9	5.9	3.0	1.5	13.6
합계	12.8	5.0	2.9	5.3	5.4	6.8	6.8	10.2	9.5	2.3	67.0

출처: 기획재정부(2009f), 〈민간투자제도의 이해〉.

첫째, 민간투자사업자에게 투입원가 회수를 보장했다. 최소운영수입 보장제만큼 강력하진 않지만 최소한 국채 수준의 기본수익률은 어떠한 경우든 보장해 주기로 했다. 지원의 기준이 예측 수요 대신 기본수익률도 바뀌었을 뿐 여전히 변형된 형태의 정부 보조금 제도가 존재하는 것이다.

둘째, 본사업의 수익성을 보완하기 위해 부대사업 이익을 최대한 보장하기로 했다. 일반적으로 민간투자사업 대상은 사회서비스시설이어서 주변에 관광숙박시설 · 대규모 점포 · 도매배송업단지 · 택지개발 등의 부대사업이 발생한다. 지금은 여기서 생기는 추가 이익을 정부와 민간자본이 절반씩 나눠 가지는데 앞으로는 민간사업자가 더 챙겨가게 된다.

셋째, 민간투자사업 진행 중 외부투자(타인 자본) 조달 구조 변경으로 발생하는 이익도 모두 민간 사업자가 취하도록 했다(지금까지는 정부와 민간자본이 절반씩 이익을 공유하고 있다). 예를 들어 시장금리 변화로 민간사업자가 외부자금을 현행보다 더 낮은 금리로 조달할 경우 발생하는 이자 차익을 모두 민간 사업자 몫으로 하겠다는 것이다.

이 밖에도 민간자본 귀책으로 인한 계약해지 시 건설비 지급보상금 상향, 민간 사업자 자금조달 지원 및 세제 혜택 등 이명박 정부의 '세심한' 배려가 더 있다. 이제 민간사업자들은 사회기반시설 본사업에서 기본수익을 얻으면서 부대사업에서 생기는 초과이윤을 독과점 할 수 있고 금융시장 변화로 생기는 금리 차이 혜택도 챙길 수 있게 되었다. 이명박 정부가 민간투자사업 활성화를 자신 있게 말할 만하다.

민간투자사업의 세 가지 문제점

민간투자사업은 한국에서 김영삼 정부부터 김대중, 노무현, 이명박 정부 등 정권을 가리지 않고 내내 늘어나고 있다. 권력이 점차 시장으로 이동하는 현실을 보여준다. 민간투자사업이 지니는 세 가지 문제점을 정리해보자.

첫째, 자본주의 시장경제에서 수익은 항상 위험을 수반하기 마련인데 민간투자사업에서 이 원리가 적용되지 않는다. 민간투자사업자는 수익형 사업에서는 최소운영수입 혹은 변형 지원 제도로, 임대형 사업에서는 사전에 정해진 임대료로 협약수익률을 보장받아 투자 위험에서 사실상 자유롭다. 정부는 민간투자사업이 민간의 창의력을 활용하는 것이라고 주장하는데 그 창의력이라는 것을 굳이 꼽으라면 예측 수요를 부풀리는 창의력, 건설과정에서 비용 차익을 늘리는 창의력뿐이다(경실련 2007 ; 정광모 2008).

둘째, 민간투자사업은 정부의 초기 건설비 부담을 줄여주지만 중·장기적으로 정부의 부담을 오히려 증대시킨다. 정부가 직접 재원을 조달해 사회기반시설을 건설하고 운영할 경우 소요되는 비용은 국채 이자 수준이지만, 민간투자사업에서는 '국채 수익률+∝'를 제공해야 하기에 국가재정 부담은 더 커진다.

셋째, 민간투자사업은 '공공부문 민영화'의 21세기 형태이다. 국제적으로 보면, 지분 매각방식의 전통적 민영화가 어느 정도 진행되자 이제는 공·민합작투자PPP: Public Private Partnership라는 이름으로 소유는 정부가 지니되 건설과 운영을 민간자본이 장악하는 세련된 방식의 민영화가 확장되고 있다. 한국에서 진행되는 민간투자사업 역시 이러한 민영화 추세를 그대로 반영한다.

대안을 찾아서: 공공부문 혁신이 근본 해법이다

민간투자사업은 집권세력에게 참 매력적이다. 임기 동안에 초기 건설재정 부담을 피하면서 대규모 토목사업을 벌이는 재미를 맛볼 수 있다. 하지만 국민들은 높은 이용료를 내거나 세금을 부담해야 한다. 어떻게 대응해야 할까?

첫째, 수익성이 아니라 사회공공성의 가치를 다루는 학교·주거·교통 등 사회기반시설의 건설과 운영은 공적 주체가 책임지는 게 정도다. 향후 민간투자사업을 원칙적으로 금지해야 한다. 이미 시작된 민간투자사업은 국가재정 낭비가 큰 사업의 순으로 계약을 해지해 정부가 직접 책임지는 구조로 전환해야 한다. 민자계약 해지를 한 인천공항철도가 예외적인 사례가 아니라 전환의 시작이어야 한다.

둘째, 지금 당장 정부예산으로 건설 재원을 모두 마련하기 어렵다면, 민간투자 방식보다는 국채를 활용하는 것이 옳다. 이는 민간투자자에게 국채수익률을 넘는 '+α'를 제공하지 않기에 중장기적으로 국가재정을 절감하는 길이다.●

셋째, 향후 사회기반시설 건설에 국민연금기금을 적극 활용할 수 있다. 특히 임대형 사업은 정부가 기본 수익을 보장하므로 국민연금기금의 공공성 · 안정성 · 적정수익성을 동시에 제공한다. 국민연금기금이 참여할 경우 사회기반 시설의 선정 · 건설 · 운영하는 과정에 지역 사회 · 연금가입자 · 연금공단 등이 주체가 되는 민주적 공공부문 지배 구조 모델도 만들어질 수 있다. 필요하다면 '사회기반시설에 대한 연기금투자법'(가칭)을 제정하여 국민연금기금의 사회기반시설 투자를 위한 법적 인프라를 갖추어야 한다(송원근 · 오건호 2008: 87).

넷째, 정부가 민간투자사업에서 내세우는 '공공부문의 비효율성, 민간부문의 창의성' 이데올로기에 근본적으로 맞서기 위해서는 '공공부문 혁신운동'이 시급하다. 진보운동 세력이 아무리 민간자본의 특혜를 지적하더라도 국민들이 공공부문을 신뢰하지 않는 한 큰 힘을 가지기 어렵다. 공공부문 노동조합이 초동 주체가 되어 '공공부문 관료성 타파' 운동을 벌여야 한다. 이는 최근 선진화라는 이름으로 공공부문 노동조합을 억압하는 이명박 정부의 공세에 대항하는 가장 근본적인 길이기도 하다.

● 최근 '국가채무 논란'이 불거져 있지만 필요한 국채는 발행해야 하고, 동시에 재정건전성의 근본 원인이 과다 지출이 아니라 적은 직접세 수입에 있다는 점을 공론화해야 한다.

15
장

한국의 국가채무, 얼마일까?

재정균형이 국가재정 운용의 강한 원칙이었던 한국에도 재정건전성 문제가 부상했다. 이 때 등장하는 대표적 문제가 '국가채무'다. 과연 한국의 국가채무는 감당할 만한 수준에서 관리되고 있는가? 국가채무의 규모와 전망을 둘러싸고 정부, 정치권, 학계마다 의견이 분분하다. 과연 한국의 국가채무는 얼마일까?

금융위기 대응 과정에서 불거진 재정위기

2010년 3월 그리스 노동자들이 총파업을 벌였다. 같은 해 2월에 이어 다시 전국의 관공서, 기업, 병원, 교통이 하루 동안 거의 마비됐다. 그리스의 2009년 재정 적자 규모(GDP 12.7%)는 OECD 회원국 중 국가부도 직전까지 갔던 아이슬란드의 15.7% 다음으로 큰 규모였다. 이에 그리스 정부는 2010년 재정 적자 폭을 GDP 4% 수준으로 줄이기 위해 공무원 보너스 삭감, 연금 동결 등의 초긴축 방안을 내놓았고 이에 노동자들이 항의에 나선 것이다.

2010년 1월 일본 자산운용회사 피델리티신탁의 대학생 여론조사에 따르면, 다수 학생들이 "일본의 앞날에 꿈이나 희망을 가질 수 없다"고 대답했다. 그 이유를 복수응답하게 한 결과 "국가의 재정 적자가 심각해서 젊은 세대에게 과도한 부담이 돌아간다"와 "고용 불안이 계속된다"는 대답이 각각 70%에 이르렀다(한겨레, "무기력한 일본", 2010. 3. 13). 일본도 작년 GDP 7.4%의 재정 적자를 낳았으며 국가채무는 GDP 189.3%로 세계 최고 수준을 기록하고 있다. 이에 일본의 젊은 세대들마저 국가재정 위기를 체감하는 상황이 된 것이다.

재정 적자와 국가채무는 비단 두 나라만의 문제가 아니다. 2008년 세계적 금융위기를 맞아 각 나라들이 이전보다 치밀한 국제 공조로 위기를 관리해 나갔지만, 막대한 재정 적자와 국가채무라는 대가를 안아야 했다. OECD 자료에 의하면 2009년 OECD 국가들의 평균 재정 적자 규모는 GDP 8.2%에 달한다. 2010년에도 재정 적자의 규모는 GDP 8.3%, 2011년에는 7.6%에 이를 것으로 전망된다(OECD 2009a). OECD 국가들의 평균 국가재정 규모가 2009년 GDP 45%였음을 생각하면, 전체 재정의 1/5~1/6을 빚으로 충당하고 있다는 이야기이다. 그 결과 각국이 안고 있는 국가채무도 계속 늘어만 가고 있다.

다음 〈표35〉에서 보듯이 OECD 국가들이 안고 있는 GDP 대비 평균 국가채무 비중은 1990년대 후반 70%, 2000년 중반 75% 수준을 보였으나 2008년 금융위기를 거치면서 90%로 치솟았고 2011년부터 100%대에 진입할 것으로 예상된다. 세계 각국이 금융위기라는 장벽을 넘다가 재정위기라는 새로운 난관에 직면하게 됐고 이 피해가 고스란히 일반 서민, 연금 수령 노인, 일자리를 찾는 젊은 세대들에게 떨어지고 있는 것이다.

〈표35〉 OECD 회원국 국가채무 추이 (GDP 대비 %)

	1995	1997	1999	2001	2003	2005	2007	2009	2011
한국	5.2	7.2	15.0	16.6	17.4	23.1	25.7	33.2	40.7
프랑스	62.7	68.8	66.8	64.3	71.4	75.7	69.9	84.5	99.2
미국	70.6	67.3	60.4	54.4	60.1	61.3	61.8	83.9	99.5
그리스	101.1	100.0	101.1	117.7	112.0	114.5	103.9	114.9	130.2
아이슬란드			73.6	75.0	71.0	52.6	53.6	117.6	145.8
이탈리아	122.5	130.3	125.8	120.2	116.8	119.9	112.5	123.6	129.7
일본	86.2	100.5	127.0	143.7	158.0	175.3	167.1	189.3	204.3
OECD 평균	69.6	71.6	71.2	68.5	72.6	75.9	73.1	90.0	103.5

출처: OECD(2009a), Economic Outlook no.86.

한국 국가채무, 양호하다?

다른 나라에 비하면 한국의 공식 재정 현황은 양호하다. 2009년 한국의 재정 적자는 43.2조 원으로 GDP 4.1%이다. 이는 IMF 금융위기 때를 제외하곤 거의 균형재정을 이루어 왔던 한국의 재정관리 역사에서 보면 큰 폭의 적자지만 외국과 비교하면 그리 나쁜 성적은 아니다.

한국의 국가채무도 절대적 규모로 보면 그리 많지는 않다. 현재 국가채무를 작성하는 국제 기준은 OECD 방식과 IMF 방식 두 가지가 있다. 〈표35〉에서 보았듯이 OECD 기준 2009년 한국의 국가채무 규모는 GDP 33.2%로 OECD 평균 90%의 3분의 1 수준이다. 현재 한국 정부가 국내에서 발표하는 공식 통계는 IMF 기준을 따른다. 정부 자료에 의하면, IMF 기준으로 2009년 한국의 국가채무는 365.1조 원으로 GDP 35.3%이다. 이는 IMF가 발표한 G20 국가 평균 국가채무인 GDP 75.1%의 절반에 불과한 규모다.

지금까지 자료들만 보면 한국의 국가채무는 앞으로도 큰 문제가 없을 듯하다. 이명박 정부는 점차 재정 적자를 줄여 2013년에 사실상 균형재정을 달성하고, 국가채무도 GDP 30% 중반 수준으로 관리하겠다는 청사진도 제출했다. 한국은 세계적 '재정 위기' 폭풍에서 벗어난 안전지대로 여겨도 될 듯하다.

그런데도 2009년부터 한국에서 국가채무를 우려하는 목소리가 끊이지 않고 있다. 한국의 국가채무 규모가 실제보다 과소 추계되어 있고, 재정 적자도 여러 편법으로 은폐되고 있다는 비판이다. 많은 재정학자들은 한국의 국가채무 규모가 정부 발표보다 크다고 평가하고 있으며, 일부 정치권은 국가채무가 약 1,400조 원, GDP 대비로 약 140%대에 이른다고까지 주장한다. 왜 국가채무를 둘러싸고 이견이 발생하고 있는가? 도대체 국가채무를 둘러싼 진실은 무엇일까?

한국 국가채무 계산, 국제 기준을 따르고 있다고?

현재 한국의 국가재정법은 국가채무를 '정부가 직접적인 상환의무를 부담하는 확정채무'라고 정의한다. 즉 일반회계 적자를 보전하거나 환율 관리를 위해 발행하는 여러 국채, 국가가 국방시설사업이나 선박 건조사업 등에서 예산 확보 없이 미리 부담한 채무를 가리키는 국고채무 부담행위, 그리고 국내외에서 빌린 차입금 등이 국가채무를 구성한다. 문제는 이것들이 과연 국가채무의 전부인가라는 점이다. 즉 국가채무 대상 범위를 어디까지 설정할 것인가가 논란의 핵심이다.

정부는 IMF가 작성한 재정통계지침을 따르고 있다고 주장한다. 그렇게 틀린 말은 아니다. 이 때 정부가 말하는 지침은 IMF가 1986년에 발표한 'GFSM 1986Government Finance Statistics Manual(재정통계지침) 1986'이다. 그런데 IMF는 2001년 변화된 재정 상황을 반영해 새로운 재정통계 지침인 'GFSM 2001Government Finance Statistics Manual 2001'을 발표하고 각국에 이를 전달했다. 하지만 아직까지 한국 정부는 새 지침을 적용하고 있지 않다. 결국 25년 전에 만들어진 과거 지침을 사용하면서 국제 기준을 준수하고 있다고 운운하고 있는 것이다. 양 지침의 내용은 어디에서 차이가 있을까? 1986년 지침이 '국가채무Debt'를 다룬다면 2001년 지침은 '일반정부 부채Liability'를 다룬다는 것으로 요약된다. 그러면 두 가지 면에서 양 지침의 차이를 자세히 살펴보자.

차이 1. 채무 주체: 국가에서 일반정부로 확장

우선 채무의 주체가 '국가(정부 부처)'에서 '일반정부(정부 부처+공공기관)'로 확장되었다. 2010년 현재 한국 국가채무의 주체는 중앙정부와 지방정부다. 즉 채무 여부를 파악할 때 채무의 성격보다는 관리 주체가 기준이 된다.

예를 들어, 대학생들의 학자금 대출을 보증해주는 학자금대출신용보증기금이 가진 채무는 관리 주체가 교육과학기술부이기 때문에 국가채무로 계산된다. 하지만 서민들의 전세자금 대출을 보증해주는 주택금융신용보증기금이 진 채무는 관리 주체가 한국주택금융공사, 즉 정부가 아닌 공공기관이라는 이유에서 국가채무 계산에서 제외된다. 양 기금은 제도의 목적이 유사하고 채무의 최종 책임자가 국가라는 점에서도 사실상 같은 집단에 속하는 기금인데도 말이다.

IMF는 2001년 지침을 통해 국가채무 주체를 OECD가 정한 일반정부General government로 통일시켰다. OECD 정의에 따르면 일반정부는 '정부 스스로 공급하지 않으면 편리하게, 그리고 경제적으로 생산될 수 없는 공공서비스 영역', 즉 비시장적 서비스를 제공하는 공공 주체를 의미한다. 여기에는 중앙정부, 지방정부, 산하기관(비영리공공기관)이 포괄적으로 해당된다. 이는 정부 부처뿐만 아니라 비영리 서비스를 제공하는 공공기관도 일반정부에 포함되고, 이러한 공공기관이 진 채무도 국가채무에 포함되어야 한다는 것을 의미한다.

따라서 IMF의 2001년 지침에 따라 채무 주체를 국가에서 일반정부로 확장할 경우 한국의 국가채무 구성도 다음과 같이 달라져야 한다.

첫째, 모든 기금이 원칙적으로 국가채무 대상이 되어야 한다. 현재 정부는 63개 기금 중 중앙관서의 장이 직접 책임지는 38개 기금만을 국가채무 대상에 포함한다. 따라서 공공기관이 관리하는 나머지 25개 기금이 국가채무 계산에서 제외되고 있다. 여기에 해당하는 기금에는 주택금융신용보증기금, 문화예술위원회의 문화예술진흥기금, 예금보험공사의 예금보험기금채권상환기금채권, 근로복지공단의 근로복지진흥기금, 중소기업진흥공단의 중소기업진흥및산업기반기금 등이 있다. 이 기금들은 기금운용 주체가 중앙부처가 아닐 뿐 국회 심의를 받고 정부가 책임져야 하는 국가재정이다.

둘째, 비영리 공공기관들이 가진 채무들도 모두 국가채무에 포함되어야 한다. 현재 공공기관운영법에 따르면 자체 수입이 50% 이상이면 공기업, 50% 미만이면 준정부기관이나 기타공공기관 등으로 정의한다. 유럽연합 기준에 따라 시장적 활동 기준을 자체 수입 50%로 잡으면, 현행 286개 공공기관 중 공기업 22개를 제외한 모든 준정부기관, 기타공공기관들의 채무는 국가채무로 계산되어야 한다. 더불어 지방공사나 지방공단 등 지방정부 준정부기관들도 당연히 국가채무 계산의 대상이다.

차이 2. 채무 계산 방식: 현금주의에서 발생주의로 개편

IMF의 2001년 지침에 따라 또 하나의 차이는 국가회계 방식이 '현금주의'에서 '발생주의'로 전환된다는 점이다. 현금주의 방식은 현금이 직접 오간 시점을 기준으로 채무를 계산한다. 만약 정부가 20년간 민간사업자에게 매년 1,000억 원씩 임대료를 지불하는 민간투자사업을 벌였다면, 현금주의 방식에선 당해 지출되는 1,000억 원만이 국가채무로 잡힌다. 하지만 발생주의 방식은 경제적 행위 시점 이후 발생하는 모든 채무를 산정한다. 발생주의 회계 방식을 따르면 정부가 20년간 매년 1,000억 원씩 지출해야하므로 현재 정부가 진 국가채무는 2조 원으로 계산된다.

2007년 국가회계법이 제정되면서 한국에서도 2009년부터 국가회계 방식이 발생주의 방식으로 전환되었다. 정부는 국가채무에 대해선 2012년부터 발생주의 방식을 적용할 예정이다. 발생주의 방식으로 한국의 국가채무를 산정하면 현재 국가가 발표하는 국가채무 금액은 분명히 더 늘어날 것이다. 대표적으로 다음 두 영역에서 채무 증가가 예상된다.

첫째, 민간투자사업에 지출되는 미래 지출 비용이 국가채무로 조합된다. 2009년 말까지 체결된 민간투자사업은 총 461건, 금액으로 68.6조 원에 해당한다(기획재정부 2009i). 이 가운데 정부가 최소운영수입을 보장해주는 인천공항철도 · 인천공항고속도로 등 수익형BTO 민간투자사업의 보조금, 정부가 매년 시설사용료를 지불하는 임대형BTL 민간투자사업의 임대료 총액은 모두 국가채무로 계산되는 게 옳다.

둘째, 정부가 공무원 · 군인 등에게 지급할 퇴직급여도 국가채무로 계산된다. 이는 민간부문에서 퇴직금을 적립해 놓아야 하듯이, 언젠가 퇴직 공무원에게 지급해야할 국가의 책임부채다. 지금 충당해놓지 않은 금액들은 모두 국가채무로 포함되어야 한다.

한국의 국가채무 산정을 둘러싼 논점

그런데 정부가 IMF 2001년 지침을 적용하면 국가채무 수치가 명확하게 산출될 수 있을까? 그렇지는 않을 것 같다. 각국마다 공공기관의 위상이나 성격이 달라 2001년 지침을 적용하더라도 어느 기관까지 국가채무 대상으로 삼을지를 두고 여전히 논란의 여지가 존재하기 때문이다. 최근 국내 논의를 보면 정부는 가능한 국가채무 대상을 작게 설정하고, 일부 정치권은 가능한 규모를 크게 잡으려 한다. 국가채무를 둘러싼 정치가 벌어지고 있는 것이다. 한국의 국가채무 산정 방식 개편에서 주로 제기되는 쟁점들을 살펴보자.

첫째, 공기업채무를 국가채무에 포함할 것인가의 여부다. IMF 2001년 지침은 공기업을 국가채무 대상에서 제외하고 있다. 하지만 일부에선 공기업채무 역시 정부가 궁극적으로 책임져야 할 몫이므로 국가채무에 포함되어야 한다고 주장한다. 혹은 시장형 공기업(자체 수입 85% 이상)은 제외하더라도 준 시장형 공기업(자체수입 50~85%)은 국가채무에 포함되어야 한다는 제안도 있다(홍헌호 2010). 특히 이러한 주장들은 이명박 정부가 노골적으로 국가채무를 공기업에게 전가하는 것을 근거로 하고 있기 때문에 일정한 설득력을 지니고 있다. 한국수자원공사가 4대강 사업 재정 8조 원을 부담하듯이 한국철도공사의 인천공항철도 인수, 한국토지주택공사의 보금자리주택사업 확대 등 사실상 정부의 재정 사업이 공기업 사업으로 전환되고 있다. 2008년 말 기준 공기업채무가 약 177조 원에 달하는데 이 중에 사실상 정부의 재정 책임 몫이 존재하고 앞으로도 그 액수가 늘어갈 것으로 보인다.

하지만 재정체계 형식상 공기업의 채무를 국가채무로 포함하기는 어려울 것 같다. 우선 공기업채무에서 순수 공기업 몫과 정부 몫을 구분하기가 쉬운 일은 아니다. 게다가 국제 기준도 공기업채무를 국가채무로 인정하지 않고 있다. 필자는 향후 국제 기준에 따른 국가채무 산정과 별도로 공기업을 포함하는 공공부문 부채를 계산하는 것이 필요하다고 판단한다. 국가채무를 추계하는 목적이 앞으로 어떻게 채무를 관리할 것인가에 있다면, 무리하게 하나의 틀에 모든 채무를 집어넣기보다는 기관의 특성을 반영해 관리하는 것이 더 중요하기 때문이다. 이는 근래 국제기구가 각국에 요청하는 사안이기도 하다.

둘째, 한국은행의 통화안정증권을 국가채무로 볼 것인가의 문제이다. 통화안정증권은 국내 통화(원화 현금)의 과잉 유동성을 흡수하기 위해 한국은행이 발행하는 채권으로 2007년 말 기준 150조 원에 달한다. 이것은 형식적으로는 정부 밖의 독립기관인 한국은행이 진 채무이지만 사실상 국가가 최종 책임자인 채무이다. 또한 선진국에선 정부 자신이 직접 국채를 통해 공개시장조작(통화안정조치)을 하는 것과 달리 한국에서는 정부 대신 중앙은행이 이를 수행하기 때문에, 통화안정증권은 정부가 중앙은행에 떠넘긴 채무라고 볼 수도 있다.

하지만 여전히 한국은행이 정부 독립기관이라는 점, 통화안정증권이 현금 흡수를 위해 발행된다는 점, 한국은행이 손익 추세가 그리 나쁘지 않다는 점 등에서 국가채무에 포함하는 것이 적절치 않다는 반론도 있다. 필자 역시 통화안정증권 금액을 국가채무로 합산하는 것은 적절치 않다고 생각한다. 통화안정증권 채무도 공기업채무와 유사하게 공식 국가채무와 별도로 공공부문 부채로 계산해 관리하는 것이 좋을 것이다.

셋째, 미래 공적연금이 지니게 될 부채를 국가채무에 포함할 것인가의 여부이다. 현재 공무원연금은 이미 기금이 소진돼 정부 일반회계로부터 재정 지원을 받고 있고, 앞으로 사학연금과 국민연금도 불가피하게 비슷한 길을 밟을 것으로 보인다. 현재 가입자를 기준으로 추계해 보면, 장래 급여 지출에 부족한 공적연금의 미적립 금액은 약 600조 원에 달한다. 그래서 가입자들이 보험료를 더 내지 않는 한 국가가 이 금액을 책임져야 한다는 점에서 연금채무는 국가채무에 포함해야 한다는 주장이 있다.

하지만 공적연금은 제도 변화에 따라 미적립액 규모가 변화하는 정책적 채무다. 또한 세대 간 연대라는 가치에 따라 설계된 미래 재정 책임을 채무라는 개념으로 접근하는 것이 접합한지에 대해서도 의문이다. 특히 연금 역사가 짧아 연금불신이 큰 한국에서 미래 연금에 요구되는 필요재정을 채무로 평가하는 것은 지혜로운 접근이 아니다. 이에 연금채무 역시 국가채무와 별도의 범주인 공공부문 부채로 설정해 관리하는 게 적합할 것이다.

한국재정학회 보고서: 한국의 정부부채는 688조 원, GDP 76%

그러면 IMF 2001년 기준을 적용할 때 한국의 국가채무 규모는 실제 얼마일까? 한국에서 정부의 국가채무 수치를 가장 체계적으로 비판하면서 대안 추계를 제시한 학자는 옥동석 교수다. 옥동석 교수는 한국재정학회를 대표해 2008년 국회 예산결산특별위원회의 연구 용역 의뢰로 작성한 보고서에서 국가채무 개념을 정부부채로 재구성하며, 2007년 기준 한국의 정부부채를 688조 원, GDP 76.3%라고 추정했다. 정부가 발표하는 공식 국가채무 GDP 33.2%의 두 배나 되는 규모다.

〈표36〉 정부부채 추정치 (단위: 조 원, GDP %, 2007)

구 분	금 액		GDP 비율	
			단순	누적
공식 국가채무(A)		298.9	33.2	33.2
중앙정부 미포함 특별회계 부채(a)		41.7	4.6	37.8
중앙정부 미포함 기금 부채(b)		88.5	9.8	47.6
중앙정부 준정부기관 부채(c)		68.6	7.6	55.2
지방정부 준정부기관 부채(d)		21.9	2.4	57.6
정부부문 민간투자사업 부채(e)		20.6	2.3	59.9
대안 정부부채 I (B=A+a+b+c+d+e)		540.2	59.9	
준재정활동의 거래재설정(f)		148.2	16.4	76.3
(통화안정증권) × ½	150.3	(75.2)	(8.3)	–
(주요 공사의 대민 간 채무)× ½	146.1	(73.5)	(8.1)	–
대안 정부부채 II (C=A+B+f)		688.4	76.3	76.3

출처: 옥동석(2008), 〈2007년 말 현재 정부부채의 추정: 개념, 쟁점 및 향후 과제〉 (국회예산결산특별위원회 용역 보고서) 47쪽 표를 재구성.

* 당시 2007년 GDP로 901조 원을 적용했으나 2009년부터 GDP 추계방식이 고정가중법에서 연쇄가중법으로 바뀌면서 975조 원으로 상향되었음. 이에 최근 발표되는 국가채무 통계치는 975조 원을 기준으로 GDP 30.7%로 조정되었음.

〈표36〉에서 보듯이 옥동석 교수는 정부 발표 국가채무에 포함되지 않는 특별회계(우체국예금특별회계, 책임운영기관 특별회계 등), 기금이 지닌 부채, 공기업을 제외한 준정부기관, 민간투자사업이 안고 있는 부채 등을 모두 합해 우선 약 540조 원을 산출했다. 여기에 다시 통화안정증권 채무와 주택공사, 도로공사 등 법률에 의해 정부가 보증하는 공기업들의 채무를 포함하되 그 특수성을 감안하여 채무 총액의 절반씩을 정부부채에 합산했다. 그 결과 옥동석 교수가 산출한 최종 정부부채 규모는 688조 원, GDP 76%다. 옥동석 교수의 추계는 한국재정학회의 권위를 토대로 여러 국가채무 논의의 준거가 되고 있다. 그만큼 유의미한

작업이다.

하지만 필자는 각 공공기관이 지니는 채무의 성격이 다소 다르기 때문에 이들을 하나의 틀로 계산하는 것은 무리가 따른다고 판단한다. 우선 국제 비교를 위해 IMF 2001년 기준에 따른 채무를 가능한 명확히 확정하고, 이어 국제 기준에는 포함되지 않지만 정부가 최종 책임자로서 관리해야 하는 채무들을 따로 모아 계산할 것을 제안한다.

이때 용어도 구분될 필요가 있다. 2012년부터 한국에서도 국가채무 계산에 발생주의가 적용된다. 그렇다면 용어도 '채무Debt'보다는 '부채Liability'가 적절하다. 채무가 현금주의 입장에서 현재의 확정 빚을 가리킨다면, 부채는 실제 정부가 책임져야할 미래 몫 모두를 지칭할 수 있기 때문이다.

이제 지금까지 논의한 여러 채무들은 다음의 세 가지 범주로 분류해 보자. 정부가 현금주의 방식으로 계산한 현재 공식 채무인 '국가채무', 국제 기준에 따라 비영리 공공기관을 포함하고 추계 방식도 발생주의를 적용한 '정부부채', 공기업부채 · 통화안정증권 · 연금부채 등 잠재적 정부 책임 몫까지 모두 포괄한 '공공부채'다. 이 중에서 가장 중요한 것은 국제 기준에 따라 계산된 '정부부채'가 될 것이다.

한국 정부부채, 2007년 GDP 60%로 G20 평균 수준과 동일하다

이제 각각의 규모를 추정해 보자. 앞에서 보았듯이 한국 정부 발표 국가채무는

2007년 기준 299조 원(GDP 33.2%)이고, 2009년에는 365조 원(GDP 35.3%)이다. 이 수치들은 정부가 1986년 IMF 지침에 따라 작성한 수치로, 과소추계 되었다는 비판에서 자유롭지 않다. 이명박 정부의 국가채무가 2013년에도 GDP 30% 중반 수준으로 유지될 것이라는 주장이 신뢰를 얻지 못하는 이유도 이 수치를 근거로 하기 때문이다.

다음으로 2001년 국제 기준에 따른 정부부채를 살펴보자. 필자는 옥동석 교수가 추계 과정에서 포함한 모든 특별회계 · 기금 · 비영리 공공기관 채무를 인정하되, 통화안정증권과 공기업 부채는 성격의 차이를 감안해 제외한 금액으로 2007년 기준 정부부채를 약 540조 원으로 추정한다(약 GDP 60%).

〈표37〉 한국의 국가채무, 정부부채, 공공부채 추정치 (2007)

구분	금액	GDP 대비	내용	항목
국가채무	299조 원	33.2%	정부 공식 수치	국고채, 차입금 등
정부부채	최소 540조 원	59.9%	2001년 IMF 기준 보수적 적용	국가채무 + 모든 기금, 비영리 공공기관
공공부채	최대 1,400조 원	약 150%	정부 책임의 잠재 부채	정부부채 + 통화안정증권, 공기업, 공적연금

마지막으로 공공부채는 2007년 기준으로 앞의 정부부채 540조 원에 통화안정증권 150조 원, 공기업부채 146조 원, 연금부채 약 600조 원 등이 포함되어 약 1,400조 원(약 GDP 150%)으로 추정된다.

한국의 국가채무는 얼마일까? 필자는 '정부부채'를 답으로 내놓는다. 한국의 정부부채는 IMF 국제 기준에 따라 구성할 경우 약 GDP 60%로 2007년 IMF가 발표한 G20 국가 평균인 GDP 62%와 동일한 수준이다. 결코 외국에 비해 낮은 수준이 아니다. 금융위기를 겪은 후인 2009년 G20 국가들의 평균 정부부채가 GDP 75.1%로 올라갔고, 한국 역시 상당히 상승했을 것이다. 다른 나라들이 겪고 있는 정부부채 문제가 남의 일이 아닌 것이다. 부자 감세를 강행하고 4대강 사업에 재정을 쏟을 한가한 때가 아니다.

한국의 국가채무가 수치보다 더욱 심각한 이유

한편 여기서 놓치지 말아야 할 것은 동일한 국가채무 수치라도 선진국에 비해 한국에서 그 의미가 훨씬 심각하다는 점이다. 이는 한국 경제가 안고 있는 특수성을 감안해 국가채무 수치를 해석해야 한다는 경고다. 한국의 국가채무가 드러나는 수치보다 더욱 심각한 이유를 정리하면 다음과 같다.

첫째, 한국은 선진국에 비해 국가신인도가 낮고 무역에 과도하게 의존하는 경제 구조를 가지고 있다. 그만큼 외풍에 취약한 경제다. 따라서 국가채무 비교에서도 선진국보다는 한국과 유사한 상황에 있는 신흥국을 대상으로 삼을 필요가 있다. 한국이 G20 체제에선 비록 선진국으로 분류되지만 한국은 무역의존도가 90%대로 무역의존도가 30~40% 수준인 다른 선진국과 비교하기 어렵고 경제 구조의 안정성 면에서 신흥국의 특성도 지니고 있기 때문이다.

2009년 G20 국가의 국가채무 평균 비중은 GDP 75.1%이지만 선진국 집단(미국, 영국, 일본, 프랑스, 독일 등)과 신흥국(브라질, 중국, 인도, 러시아 등) 집단 간 국가채무 수준에서 확연한 차이가 존재한다. 선진국 평균 국가채무 규모는 GDP 98.9%로 높지만, 신흥국 평균 국가채무 규모는 GDP 38.9%로 선진국에 비해 상당히 낮은 수준이다.●

둘째, 국가채무의 성격이 악화되고 있다. 국가채무는 성질별로 '적자성 채무'와 '금융성 채무'로 구분된다. 적자성 채무는 향후 국민들이 세금으로 상환해야 할 빚이고, 금융성 채무는 외환 · 융자금 등 정부가 자체상환재원을 보유한 채무다. 시장 상황에 따라 금융성 채무의 건전성도 악화될 수는 있지만 국가채무에서 결정적으로 중요한 대상은 순부채인 적자성 채무다.

1997년 한국의 국가채무 중 적자성 채무의 비중은 20.1%에 불과했다. 그런데 2003년 이 비중이 36.2%로 늘어났고, 2010년에는 48.6%로 거의 절반을 차지하며, 2013년에는 52.1%로 더 커질 예정이다. 이는 주로 일반회계 적자를 보전하기 위한 국채 발행이 늘었기 때문에 발생한 일이다. 2009년 재정 적자 보전을 위해 순증된 국가채무가 35.5조 원이었고, 2010년 다시 30.9조 원이 늘어날 예정이다(국회예산정책처 2009h: 115-116).

셋째, 이명박 정부 들어서 국가채무를 공기업으로 떠넘기는 '그림자 채무' 문제가 확대되고 있다. 앞서 보았듯이 한국수자원공사는 4대강 사업에 8조 원, 한국철도공사는 인천공항철도 인수에 1.2조 원을 들였다. 사실상 정부가 책임져야

● 자본시장연구원의 조성원은 국가집단별 적정 국가채무 비중을 추정했는데 한국과 같은 소규모 개방경제 구조의 경우 적정채무비율이 35.2%, 그리고 미국 · 캐나다 등 비교적 내수가 탄탄한 선진국가의 적정채무비율은 이보다 21% 포인트 높은 56.2%라고 제안했다. 한국의 국가채무 국제 비교에서 비교대상을 선정하는 데 주의가 필요하다는 이야기다(조성원 2009).

할 일을 공사가 떠안은 것이다. 비록 공기업채무가 국제 기준 국가채무에는 속하지 않지만 한국은 이를 특별하게 주목해야 하는 상황이다.

넷째, 국가채무 증가 속도가 가파르다. 2000년 전후 GDP 10%대에 머물던 국가채무 비중이 2000년대 전반에 20%대로 진입했으며, 후반에 30% 중반에 이르렀다. 이러한 증가 속도는 근래 더욱 빨라지고 있는데, 2006~2010년 4년간 한국의 평균 채무 증가율은 17.7%로 OECD 국가 중 네 번째로 높은 수준이다. 특히 2009~2010년 2년간 부채 증가율은 OECD 국가 중 가장 높을 것으로 예상된다(국회예산정책처 2009i: 6).

다섯째, 국가채무를 감당해야 하는 한국 정부의 재정 규모가 다른 나라에 비해 작다. 2009년 국가재정 규모를 보면 OECD 국가 평균은 GDP 44.8%, 유로 국가 평균은 GDP 50.7%이지만 한국은 GDP 33.8%에 불과하다. 국가재정 규모가 작은 만큼 국가채무가 정부에 주는 압박은 더 크기 마련이다.

국가채무 의제, 계급정치의 장 안으로 들어오다

국가채무 논란에서도 확인되듯이 이제 한국도 재정위기에서 자유롭지 않다. 앞서 지적했듯이 재정위기는 집권세력에게 난처한 일이지만, 사회공공적 지출을 늘리려는 진보 진영에게도 어려운 과제다. 이러한 상황에서 진보 진영은 무엇을 할 것인가?

첫째, 정부의 방만한 재정 지출을 문제시 해야 한다. 현재 이명박 정부도 재정건전성 문제를 계기로 '지출 통제' 프레임을 작동시키고 있다. 이 때문에 자연 증가분을 지닌 복지는 현재의 추세로 관리되고, 다른 복지들은 오히려 동결되거나 삭감되는 일이 발생할 것이다. 이에 진보운동 세력은 4대강 사업 국방예산 등 공정하지 못한 재정 지출을 적극적으로 문제시 해야 한다. 예를 들어 4대강 사업이 환경을 파괴하는 사업이기도 하지만 한국의 재정위기를 악화시키는 일이라는 점도 강조되어야 한다.

둘째, 진보 진영은 정부의 '지출 통제 프레임'에 맞서 '세입 확대 프레임'을 만들어가야 한다. 국가채무 문제에 대응하는 근본적 해법은 국가재정을 키우는 일이다. 한국의 국가재정 규모는 OECD 국가 평균 수준에 비해 매년 약 GDP 11% 포인트, 금액으로는 110조 원이 부족하다. 이에 당장 매년 20조 원 이상씩 세입 결손을 야기하는 부자 감세를 철회시켜야 하고, 나아가 사회복지세 신설 등을 통해 국가재정을 확충하자고 주장해야 한다. 최근 한국에 불고 있는 복지 확대 운동과 결합해 '복지 체험과 직접세 증세'를 한 묶음으로 제기한다면 의미 있는 성과를 거둘 수도 있을 것이다.

다소 긴 분량으로 한국의 국가채무 문제를 살펴보았다. 이 의제가 특정 세력에게 정치적 자산이 될지 혹은 걸림돌이 될지는 미리 정해져 있지 않다. 보수 세력이 복지 지출을 죄고 공공자산을 매각하는 근거로 악용할 수도 있고, 진보 세력이 콘크리트 및 국방 지출 삭감과 직접세 세입 확대를 공론화하는 계기로 삼을 수도 있다. 이제 한국에서도 국가채무 의제가 계급 정치의 장에 들어와 있다.

16장

지방재정의 부족과 격차, 어떻게 해결할까?

2010년 지방자치단체(이하 자치단체) 선거에서 각 후보자들이 지역생활정치 공약을 선보이기 위해 동분서주했다. 그런데 이 작업이 만만치 않았을 것이다. 대선이나 총선이면 '모든 것을 바꾸겠다고' 큰소리치겠건만 지방선거는 그렇지 못하다. 자치단체엔 진보 후보의 꿈을 충족시킬만한 돈이 없다. 세법을 만들고 수정하는 곳이 지방의회가 아니라 여의도 국회이기 때문이다. 스스로 재원 확보 방안을 가지지 못한 탓에 지방 '정부'가 아니라 자치 '단체'에 불과하다는 푸념이 나올 만하다.

지방재정이 지닌 문제점은 '부족과 격차'로 집약된다. 쓸 돈이 부족하고 자치단체 사이의 격차가 크다는 것이다. 이 과제는 어떻게 해결할까?

지출의 절반에 불과한 지방재정 수입

지방재정의 어려운 현실을 잘 보여주는 수치는 자치단체의 재정자립도이다. 〈표38〉을 보면, 2010년 기준 자치단체의 재정자립도 평균은 52.2%이다. 자치단체가 지방세, 세외수입을 통해 마련한 돈이 지출하는 비용의 절반에 불과하다는 이야기다. 2000년엔 재정자립도가 60%에 이르렀으나 점차 낮아지고 있다.

지방재정을 자치단체별로 들어가 살펴보면 양상이 더욱 심각하다. 우선 지역으로 내려갈수록 재정자립도가 낮다. 2010년 서울특별시의 재정자립도는 83.4%이고 광역시의 재정자립도는 평균 56.3%를 보이고 있으나 군 지역은 평균 18.0%에 불과하다. 자치단체 수준별 내부에서도 격차가 보인다. 광역시에선 인천본청이 70.0%로 다소 높고 광주본청은 43.2%로 낮다. 도·시·군에선 경기 지역이 상대적으로 높으나 전남 지역은 10% 안팎으로 매우 낮다. 자치구에선 서울 중구가 82.9%로 상당히 높고 부산 서구가 11.4%에 머물고 있다.

〈표38〉 지역별 재정자립도 현황 (단위: %, 2010)

구분	특별시	광역시	도	시	군	자치구	특별자치도	전국
최고	83.4 서울	70.0 인천본청	59.3 경기	67.4 경기 성남	48.6 울산 울주	82.9 서울 중구	26.1 제주	
최저		43.2 광주본청	11.5 전남	9.3 전북 남원	8.6 전남 고흥	11.4 부산 서구		
평균	83.4	56.3	31.6	40.0	18.0	35.4	26.1	52.2

출처: 행정안전부(2010a), 〈지방예산현황: 재정자립도〉 (http://lofin.mopas.go.kr).

지방재정조정 제도 삼총사: 지방교부세, 국고보조금, 지방재정교육교부금

도대체 이러한 재정 상황에서 어떻게 자치단체가 지방행정을 수행할 수 있을까? 너무 걱정할 필요는 없다. 어느 나라든 자치단체의 재정 부족, 재정 격차 문제를 해소하기 위한 방안을 가지고 있다. 이를 '지방재정조정 제도'라고 부른다. 지방재정조정 제도는 중앙정부가 국세로 거둔 세금 중 일부를 자치단체에게 배분하는 것이다. 이 때 지역별 재정 격차를 감안해 재정이 열악한 곳에 더 많이 지원한다.

〈표39〉 2010년 지방재정조정 현황 (금액: 조 원)

주체	구분		금액	배분기준	참고
지방정부	지방교부세	보통교부세	24.1	• 내국세 18.3%의 96% • 지자체별 '기준재정수요액에 미달하는 기준재정 수입액'을 기준으로 교부	내국세 19.24%
		특별교부세	1.0	• 내국세 18.3%의 4% • 특별현안수요, 재해로 인한 재정수요 지원. 남으면 지방 행정 우수 지자체에 인센티브 지원	
		분권교부세	1.3	• 내국세의 0.94% • 기존 국고보조사업을 이양 받은 지자체 지원	
		부동산교부세	1.0	• 종합부동산세 전액 • 자치단체의 재산세 · 거래세 감소분 보전 후 남는 금액은 재정여건 · 사회복지 수요 등에 따라 추가 배분	기존 지방세입을 재분배
		계	27.4		
	국고보조금(광특회계포함)		29.9	• 중앙정부 위임사업에 대한 국고보조금 • 지역균형발전 위한 광역 및 지역사업 재정보조	총사업비의 63% (2010)
지방교육청	지방교육재정교부금		32.2	• 내국세의 20.27% • 교육세 총액	총교육수입의 73% (2008)
	총계		89.5		

출처: 행정안전부(2010b), 《2010년도 지방교부세 산정 해설》, 국회예산정책처(2010a), 《2010년도 대한민국재정》, 국회예산정책처(2010b), 《국가재정제도: 원리와 실제》 등을 재구성.

〈표39〉는 2010년 지방재정조정 현황을 요약 정리한 것이다. 한국의 지방재정조정 제도에는 지방정부에게 지원되는 '지방교부세'와 '국고보조금(광역지역발전 특별회계 포함)', 지방교육청에 지원되는 '지방재정교육교부금'이 있다. 2010년 한해 지방정부는 지방교부세 27.4조 원, 국고보조금 29.9조 원, 지방교육재정교부금 32.2조 원 등 총 89.5조 원을 지원받았다. 뒤에서 보겠지만 이 금액은 전체 지방정부가 지방세 · 세외수입 · 수업료 수입 등 자체적으로 거둔 총 수입인 86.0조 원보다 많은 돈이다. 그래서 지방정부 재정은 중앙정부 재정과 떼어놓고 이야기할 수 없다. 이제 지방재정조정 제도를 구성하는 각 항목들을 살펴보자.

지방교부세, 지방자치 실시에 따라 점진적으로 증가 추세

지방교부세는 모든 자치단체가 일정한 행정 수준을 확보할 수 있도록 중앙정부가 국세의 일부를 자치단체에 교부해주는 제도이다. 명칭은 '세금'이지만 중앙정부가 제공하는 '지원금'이다. 앞의 〈표39〉에서 보았듯이 지방교부세는 사용 목적에 따라 다시 보통교부세, 특별교부세, 분권교부세, 부동산교부세 등으로 나뉜다.

이 중 부동산교부세는 애초 지방 세수였던 종합부동산세가 재원이고, 나머지 세 개 교부세의 재원 총합은 지방교부세법에 따라 내국세의 19.24%로 정해져 있다. 내국세는 소득세, 법인세, 부가가치세 등 국세 중에서 관세(통관절차를 필요로 하는 세금)와 목적세(교육세, 농어촌특별세 등)를 제외한 대부분의 세금들을 포괄한다. 여기에 적용되는 19.24%는 지방교부세율로 불린다. 2010년 세 개 교부세의 총합은 내국세 137조 원의 19.24%인 26.4조 원이고, 부동산교부세는 1.0조 원이다.●

근래 지방교부세율은 지속적으로 상향되고 있다. 1970년대 평균 11% 수준이었으나 1983년 13.27%로 올랐고, 2000년 15%, 2005년 19.13%, 2006년 19.24%에 이르고 있다. 지방자치제가 실시되어 과거에 비해선 자치단체의 역할이 커졌고 그만큼 필요 예산도 늘어났기 때문이다.

보통교부세, 가난할수록 더 많이 배분

지방교부세 중 절대적 비중을 차지하는 것이 보통교부세다. 보통교부세는 중앙정부가 거두는 내국세의 18.3% 중 96%를 재원으로 사용한다. 2010년 보통교부세는 24.1조 원인데, 이 때 이 돈은 지자체별로 지출 재원이 부족한 정도를 감안하여 지급된다. 그만큼 재정자립도가 낮은 지자체에게 상대적으로 많이 지원된다.

보통교부세가 배분되는 과정을 보자. 각 자치단체는 중앙정부가 설정한 기준

● 형식적으로 보면 통과절차가 필요하지 않은 세금인 교육세, 농어촌특별세 등 목적세와 종합부동산세도 모두 내국세다. 하지만 세입 추계를 할 때 목적세는 별도의 사용처가 정해져 있고, 종합부동산세는 지방으로 다시 배분되는 세금이기 때문에 이 세금 수입들은 내국세와 별도로 산정된다. 또한 주세는 보통세이지만 사용처가 광역지역발전특별회계로 전액 사용되는 세금이기에 지방교부세 계산 기준이 되는 내국세에는 포함되지 않는다. 따라서 지방교부세 산정 기준 내국세는 목적세, 종합부동산세, 주세가 제외된 금액으로 2010년 137조 원이다.

에 따라 자신에게 필요한 기준재정 수요액과 자신이 마련할 수 있는 기준재정 수입액을 계산해 두 금액의 차이인 재정 부족액을 중앙정부에게 요청한다. 하지만 중앙정부가 이 부족액을 모두 지원해 줄 수 있는 것은 아니다. 내국세 수입에 연동된 보통교부세 총액이 지방정부의 재정부족액을 모두 충당하지 못하기 때문이다.

이에 중앙정부는 자치단체별 재정부족액에 일정한 조정률을 곱하여 보통교부세 금액을 배분한다. 이 때 조정률은 재정부족액 총액 대비 보통교부세 총액 비율을 가리키는데, 내국세의 19.24%에 해당하는 금액(부동산 교부세를 제외한 지방교부세의 총액)이 전체 재정부족액을 충족시키는 정도를 의미한다. 2010년 조정률은 82.4%로 2008년 89.2%, 2009년 85.6%에 비해 낮아졌다. 부자 감세로 내국세 수입이 감소함에 따라 보통교부세 총액도 줄어들었기 때문이다. 부자 감세로 지방재정이 악화되는 현실을 보여주는 게 조정률의 하락이다.

보통교부세는 지방의 낮은 재정자립도를 보완하는 재원이지만 지자체별 재정 여건을 고려해 형평 원리에 따라 지급되기에 지방의 재정을 늘리면서 지역 간 불균형을 줄이는 효과를 가지고 있다. 비록 총규모에서 재정부족액을 모두 충당하지는 못하지만 가난한 자치단체에 상대적으로 더 많이 주는 제도이다.

따라서 기준재정 수입액이 기준재정 수요액을 초과하는 지방자치단체는 보통교부세 불교부단체에 해당한다. 2010년 예산편성 기준으로 전국 177개 자치단체 중 170개에서 재정부족액이 발생하여 보통교부세가 지원되었고(자치구는 특별시 또는 광역시에 합산), 재정부족액이 발생하지 않은 서울시 · 수원시 · 성남시 · 고양시 · 과천시 · 용인시 · 화성시 등 7개 지자체는 지원에서 제외되었다.

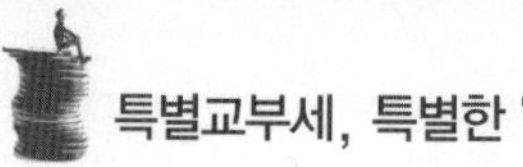

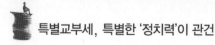

특별교부세, 특별한 '정치력'이 관건

특별교부세는 지역별로 재해대책 · 전국체전 · 도로교량 등 특별한 현안이 발생할 때 제공되는 지원금이다. 내국세 18.3% 중 보통교부세로 배정된 96%를 제외한 나머지 4%가 재원으로 2010년 규모는 1조 원이다. 예기치 않은 재정 수요에 대비하기 위한 특별한 재정이 필요한 것은 사실이나 운영이 투명하지 못하여 종종 특혜 논란이 생기는 돈이 바로 특별교부세이다. 지역의 특별 현안이라고 정하는 데에는 '정치력'이 작용하고, 특별교부세가 남을 것으로 예상되면 중앙정부가 그 잔액을 지방행정 실적이 우수한 자치단체에 지원할 수 있기 때문이다.

중앙정부와 지방정부 간 '유착', 유력 정치인의 능력을 알아보고 싶다면 특별교부세 내역을 보면 된다. 노무현 정부 시절 변양균 청와대 정책실장이 동국대학교(신정아 씨의 당시 재직학교) 이사장이 세운 사찰에 10억 원을 지원해달라고 행정안전부에 압력을 가한 사건에서 문제가 된 돈도 바로 특별교부세이다.

분권교부세, 사회복지 사업에 쓰이지만 미래가 불안하다

분권교부세는 내국세의 0.94%로 조성되는데 이름에서도 드러나듯이 지방자치를 강화하겠다는 취지에서 만들어진 교부세다(2010년 1.3조 원). 노무현 정부는 2005년 중앙정부가 주관하던 국고보조사업 중 일부를 자치단체 사업으로 이양했다. 이에 따라 중앙정부의 경로당 · 장애인복지관 · 지역문화학교 · 공공도서관 · 여성농업인센터 등 149개 사업이 지방에 이양되었고, 이 사업의 집행을 지원하기 위해 분권교부세를 신설한 것이다.

자치단체들은 분권교부세 사업에 부담을 느낀다. 사업을 이양 받은 후 중앙정부의 지원 몫은 줄어들고, 자치단체 책임 몫은 늘고 있기 때문이다. 분권교부세 사업에서 국고지원금이 차지하는 비율이 이양 이전에는 절반 수준이었으나 현재 30%대로 낮아졌다. 특히 사회복지 지출은 총규모가 증가하는 상황에서 자치단체 분담 비율마저 높아져 이중의 압박이 되고 있다.

원래 분권교부세는 2010년 폐지되어 보통교부세로 통합될 예정이었다. 분권교부세가 사실상 돈의 꼬리표가 붙은 것이라면 보통교부세는 총액 한도 내에서 자치단체가 지출의 재량권을 가지고 있어 지방자치 취지에 더 어울리기 때문이다. 자치단체 입장에서는 총액의 변화 없이 돈은 들어오고, 자신의 재량권을 확대할 수 있게 될 것이다. 그런데 분권교부세 폐지가 임박해 오자 지역 복지 단체들의 근심이 늘어갔다. 분권교부세가 지방교부세로 통합된다는 것은 자치단체가 이 돈을 다른 사업에 자유롭게 사용해도 된다는 의미이기 때문이다. 이에 따른 논란이 커지자 정부는 분권교부세를 2014년까지 유지하기로 결정했다. 어찌되었든 분권교부세의 미래는 불투명하다.

부동산교부세, 지방재정 격차 완화에 기여

한편 부동산교부세는 종합부동산세가 도입되어 기존 지방세였던 부동산 관련 세입 일부가 중앙정부 세수로 들어오자 이것을 다시 지방으로 되돌리기 위해 만들어진 것이다. 부동산교부세는 종합부동산세 도입으로 감소한 자치단체의 재산세와 거래세 세수 감소분을 우선 보전하고, 남은 돈을 지방의 재정 여건 · 사회복지 수요 · 지역교육 수요 등을 감안해 지역에 배분한다. 이전 부동산보유세 지방세제와 비교하면 부동산교부세 역시 일부 지방재정 격차를 줄이는 데 기여하고 있다.

지금까지 네 가지 지방교부세를 살펴보았다. 2010년 지방교부세의 총금액은 27.4조 원인데 이 중 보통교부세가 24.1조 원으로 대부분을 차지하고, 나머지 세 개의 지방교부세는 각각 1조 원대로 그리 큰 비중을 차지하지 않는다. 특히 부동산교부세가 급속히 줄어들고 있다. 종합부동산세 수입은 도입 2년차인 2007년에는 2.4조 원이었고 향후 늘어날 것으로 기대되었으나 이명박 정부 들어 종합부동산세가 개정되어 2010년 1조 원에 불과하게 되었다.

지방교부세를 늘리려면 내국세, 종합부동산세를 늘려야 한다

그러면 현행 지방교부세 제도를 어떻게 평가할까? 지방교부세는 자치단체의 취약한 재정자립도와 재정격차를 해소하는 데 상당히 많은 도움을 주는 괜찮은 제도다. 하지만 개선되어야 하는 부분은 남아있다. 현행 지방교부세의 개선 과제를 각 교부세별로 정리해보자.

첫째, 지방교부세의 대부분을 차지하는 보통교부세를 늘리기 위해선 무엇보다 내국세 확대가 급선무다. 이를 위해선 경제성장률이 높아지거나 세율이 인상되어 세수가 늘어나야 한다. 하지만 현실은 거꾸로 가고 있다. 2008년과 2009년은 경제성장률이 낮았고(2008년 2.2%, 2009년 0%), 2008년에 부자 감세가 행해져 2010년부터 세수 감소가 본격화되고 있다. 결국 보통교부세를 늘리기 위해선 부자 감세를 시급히 되돌려 내국세 수입 자체를 확대하는 것이 필요하다.

둘째, 특별교부세는 투명해야 한다. 특별교부세는 금액은 크지 않으나 정치적 특권이 작동하는 돈이다. 진보정당이나 시민단체는 특별교부세에 주목해야 한다. 국민 세금 낭비를 막으면서 진보적 재정 활동을 시민들에게 상징적으로 보여줄 수 있는 계기가 될 것이다.

셋째, 분권교부세는 자치단체의 복지 지출 부담을 완화시키는 방향으로 강화되어야 한다. 분권교부세는 대부분 복지 관련 사업 재원인데 갈수록 자치단체 재정을 압박하고 있고, 이후 지방교부세로 통합될 경우 토건 사업으로 전환될 위험도 있다. 이에 한시적 분권교부세 대신 상설적 '복지교부세'를 신설하고 재정규모도 대폭 늘려야 할 것이다.

넷째, 부동산교부세는 종합부동산세 신설로 부동산 관련 세금 일부가 국세로 전환되면서 생긴 제도인데, 과거 부동산보유세가 모두 지방세였던 것에 비하면 지방재정 균형에 일부 기여하고 있다. 문제는 종합부동산세의 인하로 그만큼 재원규모가 감소한다는 데 있다. 따라서 종합부동산세 기준 금액을 낮추어 과세 대상을 늘리고 적용세율도 상향하는 방향으로 나가야 한다.

중앙정부 사업 대행 대가로 받는 국고보조금

한편 지방교부세와 별도로 자치단체가 받는 재정으로 국고보조금이 있다. 한국의 정치 체제에서 국민을 위한 행정의 최종 책임자는 중앙정부지만 중앙정부가 직접 모든 행정을 주관하는 것은 아니다. 자치단체에게 중앙정부의 사업을 위임하고 그 비용을 지원한다. 이때 제공되는 것이 국고보조금이다.

국고보조금은 자치단체가 중앙정부의 위임 사업 혹은 시책 사업 등 특정한 목적 사업을 수행할 때 지급하는 돈이다. 예를 들면 자치단체가 일반여권 발급, 공단폐수종말 처리시설, 기초생활보장 사업, 영·육아 보육사업 등을 중앙정부를 대신해 집행하고 비용의 일부를 중앙정부로부터 받는다.

광역·지역발전특별회계도 국고보조금으로 볼 수 있다. 이것은 국가균형발전특별법에 따라 자치단체의 지역발전 사업에 지원된 중앙정부의 재정으로 이루어진다. 2009년까지 이름은 '국가균형발전 특별회계균특회계'였는데, 이명박 정부의 '광역화' 정책에 따라 용어가 '광역지역발전 특별회계광특회계'로 바뀌었다.

국고보조금(광특회계 포함)은 2002년 10.8조 원에 불과하였으나 빠른 속도로 증가해 2009년에는 총 29.9조 원에 달했다. 국고보조금은 사업에 따라 전액 지원하는 경우도 있지만, 보통은 중앙정부의 보조금에 맞추어 자치단체가 일정한 비율을 분담하는 대응자금(매칭펀드) 방식으로 진행된다. 이 때 중앙정부가 지원하는 비율을 국고보조율이라고 하는데 사업에 따라 20~100%로 다양하다. 그래도 대부분의 사업에서 국고보조율이 50% 이상이고, 서울과 지방의 국고보조율이 차등적인 경우도 있다. 예를 들어 일반여권 발급 사업의 국고보조율은

100%, 자활지원센터 운영은 70%, 노인보건의료센터 50%이고, 부랑인 시설 운영은 서울 50%, 지방 70%이다.

취약 지역일수록 국고보조사업 매칭펀드 부담이 크다

자치단체 업무에서 국고보조사업이 차지하는 비중은 결코 작지 않다. 2010년 전체 자치단체(교육청 제외) 예산 139.9조 원 중 국고보조사업 지출이 53.7조 원으로 38.4%를 차지했다. 여기서 문제가 되는 것은 동일한 국고보조사업이라도 자치단체에게 미치는 영향이 다르다는 점이다. 지역이 낙후하고 취약계층이 많을수록 국고보조사업 비중이 높아 자치단체가 내야할 매칭펀드 부담도 커진다. 그래서 재정이 열악한 자치단체는 중앙정부의 국고보조사업을 집행하느라 독자적 지역자치 사업을 벌이는 데 어려움을 겪는다. 특히 사회복지 분야 국고보조사업이 미치는 영향이 크다. 노인이나 취약계층이 많으며 그만큼 기초노령연금, 기초생활보장 사업 등 복지 사업 규모가 크고 자치단체의 매칭펀드 금액도 늘어나기 때문이다.●

그래서 전체 자치단체 예산에서 사회복지 지출이 차지하는 비율은 2010년

● 자치단체의 국고보조사업, 사회복지 지출 현황 등 자치단체 재정 지출에 관한 종합 수치들은 행정안전부가 운영하는 지방재정 통계 사이트인 "재정고(http://lofin.mopas.go.kr)"에서 얻을 수 있다. 본문의 관련 수치들도 대부분 이곳이 출처다.

평균 19.0%이지만 자치단체별로 그 비율이 천차만별이다. 예를 들어 자치구를 살펴보면 광주 북구의 경우 전체 예산 2,946억 원 중 무려 64.3%인 1,893억 원을 사회복지 지출에 충당했다. 광주 북구가 복지 수준이 높은 자치단체라는 이야기가 아니다. 정부가 정한 기준에 맞추어 사업을 벌였는데 그 규모가 전체 예산의 3분의 2를 차지해버린 것이다. 나머지 예산에서 인건비와 같은 경상비를 제외하면 사실상 자치단체가 자체 사업을 추진할 여지를 가지기 어렵다.

반면 부유한 지역은 상대적으로 재정 여건도 좋은데다 취약계층은 적어 사회복지 지출 비중이 낮다. 그만큼 여유 재정을 자치사업에 투입할 수 있다. 예를 들어 서울 서초구 예산 3,756억 원 중에서 사회복지 지출 금액은 639억 원으로 전체 예산의 17.0%에 불과하다. 이는 서초구 주민들이 사회복지 서비스를 받지 못하고 있다는 것을 의미하지 않는다. 오히려 정부에서 정한 기준 복지 수요를 충족하고서도 상당한 자체 재원이 존재하기에 서초구 주민은 구청의 지역맞춤형 복지서비스를 추가로 받을 가능성이 크다. 반대로 광주 북구 주민은 특별하게 구청에 기대할 게 별로 없다는 이야기다.

차등 보조율을 강화하거나 전액 국고 사업으로 전환해야 한다

이에 지역별 사업 필요성, 재정 여건 등을 감안해 국고 보조율을 달리해야한다는 요구가 높다. 마침내 2008년부터 지출규모가 큰 기초생활보장급여, 기초노령연금, 보육료지원 사업 등 세 개 사업에 차등보조율이 적용되었다. 예를 들어 기초노령연금 사업의 경우 자치단체별 국고보조금 비중은 40~90%로 다르다. 노인 인구 비중이 낮고 재정 여건이 좋은 곳인 서울 서초구 · 강남구 · 경기 과천시는 국고 보조율이 40%, 중간 수준인 서울 관악구와 강북구는 70%, 노인이 많고 재정이 취약한 전남 신안군 · 경남 산천군은 90%다.

하지만 차등보조율이 적용되어도 매칭펀드 방식의 역진적 효과를 모두 해소하지는 못하고 있다. 여기에는 두 가지 해결 방안이 있다. 하나는 현행 차등보조율 제도를 더욱 강화하는 방안이다. 지금은 일부 사업에만 적용되고 있지만 지역별 수요와 재정 여건을 감안해 이를 대폭 확대해야 한다. 이를 위해선 지역별 여건을 객관적으로 파악하고 비율을 분배하는 작업이 뒤따라야 한다. 다른 하나는 보다 근본적인 방안으로 보편적 성격을 지니는 사회복지 사업들을 전액 국고 사업으로 전환하는 것이다. 예를 들어 기초노령연금는 모든 사람에게 적용되는 노후 복지이지만 현재 자치단체에 상당한 부담을 주고 있다. 중앙정부가 전액 재정을 부담하는 중앙사업으로 전환할 필요가 있다.

지방교육예산의 70%를 차지하는 지방교육재정부금

지방교부세, 국고보조금에 이은 세 번째 지방재정조정 제도는 지방교육재정교부금이다. 한국은 교육자치 원칙에 따라 자치단체가 교육행정을 주관하고 있다. 이에 중앙정부가 내국세의 20%와 교육세 총액을 지방교육청에 교부한다. 내국세 20%는 자치단체에 제공되는 지방교부세(19.24%)와 거의 동일한 금액이며,

교육세는 금융보험업자의 수익금 · 유류세 · 주세 등에 일정한 세율을 다시 부가하여 걷는 목적세다. 2010년 지방교육교부금은 내국세 몫과 교육세 수입을 합하여 총 32.2조 원에 달한다.

2008년 결산 자료에 따르면 전체 지방교육재정 총수입 45.5조 원에서 지방교육교부금이 차지하는 금액이 33.2조 원으로 무려 73%에 달한다. 나머지는 시 · 도 전입금 8조 원(17.6%), 입학금과 수업료로 이루어진 자체 수입 4조 원(8.7%) 등이다.

지방교부세와 마찬가지로, 지방교육교부금 역시 내국세 수입과 연동되어 있다는 점에 주목해야 한다. 2008년 부자감세에 따라 지방교육교부금만 연 4조 원씩 줄어들어 지방교육청마다 어려움을 겪고 있다. 부자 감세가 아이들 교육예산까지 잡아먹고 있는 것이다.

자치단체 수입보다는 재정 사용액이 더 중요

지금까지 자치단체의 취약한 재정자립도를 해소하는 방안으로 지방재정조정 제도를 살펴보았다. 그러면 이 제도가 얼마나 효과를 발휘하고 있을까? 이를 통해 중앙정부와 자치단체의 재정이 어떤 변화를 겪었을까? 자치단체 재정 구조를 논의할 때 자치단체의 자체 수입과 재정 사용액을 구분하는 것이 중요하다. 사실 지역주민의 입장에서 더 중요한 것은 후자다.

〈표40〉은 지방교부금, 국고보조금, 지방교육재정교부금 등을 모두 감안했

을 때 2010년 중앙정부와 자치단체의 재정 구조를 비교한 것이다(기금 제외). 몇 가지 특징을 보자.

〈표40〉 중앙정부와 자치단체(교육청 포함)의 재정 비교 (단위: 조 원, 2010)

	중앙정부	자치단체	합계
조세 세입	170.5 (78.3%)	47.1 (21.7%)	217.6 (100.0%)
재정 자체수입	225.9 (72.4%)	86.0 (27.6%)	311.9 (100.0%)
재정 사용액	136.2 (43.7%)	175.7 (56.3%)	

출처: 국회예산정책처(2010b), 《국가재정제도: 원리와 실제》 170-173쪽 재구성.
* 일반회계, 특별회계 재정으로 기금은 제외된 수치.
조세 세입 = 국세 + 지방세, 재정 자체 수입 = 세입 + 세외 수입 · 수업료 수입 등,
재정 사용액 = 지방재정조정 결과에 따른 실제 사용액.

첫째, 조세 수입만 보면 중앙정부의 비중이 압도적으로 높다. 2010년 조세 세입에서 중앙정부가 거두는 국세는 170.5조 원, 자치단체가 거두는 지방세는 47.1조 원이다. 비율로 따지면 78.3%, 21.7%로 대략 국세와 지방세 비중이 8:2이다. 이 수치만 보면 지방세를 늘려야 한다고 사람들이 외칠 만하다.

둘째, 중앙정부와 자치단체가 세금뿐만 아니라 세외수입, 교육자치단체 수업료 등을 통해 마련한 총 자체수입을 비교해 보자. 양 주체가 거둔 전체 수입은 311.9조 원이다. 이 중 중앙정부 자체수입이 225.9조 원으로 72.4%, 자치단체 자체수입이 86.0조 원 27.6%이다. 조세가 아닌 세외 수입, 수업료 등을 함께 고려하면 중앙정부와 자치단체의 수입 비율이 대략 7:3으로 격차가 다소 줄어든다. 물론 여전히 자치단체의 비중은 작다.

셋째, 지방재정조정 결과 양 주체가 실제 사용하는 금액을 비교해보자. 중앙정부는 225.9조 원을 거둔 후 지방교부세, 국고보조금, 지방교육재정교부금 등을 통해 총 89.7조 원을 지방으로 이전하고 자신이 136.2조 원을 사용했다.● 반면 자치단체는 일반재정과 교육재정을 합쳐 스스로 86조 원을 마련했지만 중앙정부의 지원금을 합해 총 175.7조 원을 사용했다. 전체 재정 311.9조 원을 수입 주체로 보면 중앙정부와 자치단체 비율이 7:3이지만 사용 주체로 보면 43.7%:56.3%로 오히려 4:6 수준으로 역전된다.

지금까지 일반적으로 자치단체의 재정자립도가 낮다는 것이 문제로 지적돼 왔다. 이는 무엇보다도 지방 세입이 낮기 때문이다. 하지만 지방재정조정 제도에 의해 자치단체의 재정 사용액이 크게 늘고, 자치단체가 격차도 상당히 조정되고 있다고 말할 수 있다.

지방세를 늘릴까, 지방재정교부제를 강화할까?

그러면 한국의 자치단체가 국가재정의 60% 가까이를 사용하고 있는 것을 어떻게 평가해야할까? 사실 이 비중에 대한 정해진 답은 없다. 미국, 독일 등 연방제

● 다른 출처 수치를 종합 재구성한 까닭에 앞의 〈표39〉 지방재정조정 총액 89.5조 원과 기술적 수치 차이가 발생했다.

국가들은 당연히 자치단체의 재정 몫이 커 국가재정의 약 70%를 자치단체가 사용하고 있다. 반면 비연방제 국가인 영국과 프랑스에서 자치단체가 사용하는 몫은 40%를 넘지 않는다. 보다 명확한 판단을 위해선 더 많은 사례 비교가 필요하지만, 재정 사용 비중을 보면 한국 자치단체의 몫이 그리 작은 편은 아니다.

그래도 지방에선 예산이 부족하다고 야단이다. 절대적으로 작은 국가재정 규모, 낮은 재정자립도, 국고보조사업에 따른 중앙정부 예산 종속 등으로 항상 재정이 취약하다고 느끼고 있고 지방재정조정 제도가 있지만 자치단체 간 재정 격차를 충분히 해결해주지 못하기 때문이다.

자치단체의 재정 규모를 늘리면서도 지역 간 재정 격차를 해소하는 방안은 무엇일까? 두 가지 제안이 있다. 하나는 지방세 수입을 늘려 자치단체의 재정 관리 책임도 강화하면서 재정자립도를 높이자는 것이고, 또 하나는 지방재정조정 제도를 확장해 세입 불균형을 완화하면서 지방재정을 보완하자는 주장이다. 이는 지방재정을 둘러싼 전통적 논쟁이기도 하다(이원희, 2007: 2). 과연 어느 길이 타당한 것일까?

지방세 강화? 부자 감세 면죄부 주고 지방재정 격차 방치

우선 지방세 확대 주장을 살펴보자. 주요 방안은 국세인 소득세나 부가가치세의 일부를 지방소득세나 지방소비세로 돌리자는 것이다. '지방자치 시대 재정자립 강화!', 참 매력적이다. 하지만 이러한 이야기를 들을 땐 주의해야 한다. 지방세 구조에선 지역별 경제력 격차가 대부분 세수 격차로 이어지기 때문이다. 근래 이러한 주장을 펴는 대표적 세력이 보수 진영이라는 점도 의미하는 바가 크다.

이명박 정부는 2008년 12월 '지역경제 활성화 대책'을 발표했다. 이는 2008년 부자 감세로 인한 지방교부금 감소에 대한 비판이 거세지자 이에 대한 대응으로 내놓은 대책이다. 여기에는 세제 개혁을 통해 지방의 재정자립도를 높이겠다며 지방소득세, 지방소비세 도입 방안이 포함되어 있다. 한발 더 나아가 윤증현 기획재정부 장관은 2009년 2월 장관후보 국회청문회에서 종합부동산세도 지역 간 이동 없는 자치단체 영역이라며 수익자 부담원칙에 따라 지방세목으로 운용하는 것이 바람직하다는 의견까지 밝혔다.

보수 단체들도 국세의 일부를 지방세로 전환하면 지방 재정자립도가 높아진다면서 정부의 제안에 힘을 실는다. 대표적으로 자유기업원은 2008년 11월 〈국세의 지방세 전환 방안〉이라는 보고서를 발표했다(전형준 2008). 국세인 교통세를 지방세로 전환하고 지방소득세와 지방소비세를 신설해 지방 재정자립도를 높여야 한다는 것이다. 자유기업원은 연 40조 원을 국세에서 지방세로 전환하여 전체 조세 중 국세 대 지방세 비중을 현행 8:2에서 6:4로 만들자는 구체적인 방안까지 내놓았다.

결국 2009년 12월 국회에서 다음해 예산안을 의결하는 난장판 속에 지방소비세와 지방소득세가 도입되었다. 지방소비세는 중앙정부 세원인 부가가치세의 5%를 전환한 것으로 총규모에선 연 1.5조 원의 지방재정 확대 효과를 지닌다. 하지만 지방소비 규모가 큰 서울시와 경기도가 가장 큰 몫을 챙겨갈 예정이다. 이는 자치단체 간 격차를 오히려 심화시키는 결과를 낳을 것이다. 한편 지방소득세는 기존 주민세 중 소득에 붙는 몫(소득세의 10%에 해당하는 소득할 몫)을 주요 재원으로 하는 것이어서 이름만 바뀌었을 뿐 실제 세수 변화는 없을 것으로 보인다. 하지만 지방소득세라는 세목이 생겼다는 점에서 이후 추이가 주목된다.

전통적으로 진보정당도 지방자치를 강조하는 맥락에서 지방세 확충을 주장해 왔다. 예를 들어 2002년 민주노동당은 대선 공약에서 국세인 소득세의 일부를 지방소득세로 전환하여 자치단체의 부족한 재원을 확충하겠다고 밝히고 있다(민주노동당 2002: 541).

그러나 앞에서 지적하였듯이 지방세 강화는 지역의 경제력 격차를 재생산한다는 근본적인 문제를 지니고 있다. 비록 역교부세(자치단체 간 세수 배분) 도입을 통해 격차를 해소하겠다는 보완 장치를 제안하지만 자치단체의 동의를 이끌어내기가 쉽지 않고, 지방교부세만큼 강력한 조정 효과를 내기도 어려운 방안으로 여겨진다.

이에 필자는 현재의 조건에서 지방세 강화는 진보적 입장에서 적절치 않은 방안이라고 판단한다. 이는 중앙정부의 감세로 인한 자치단체의 불만을 무마시키며 이명박 정부의 부자 감세 문제를 희석하고, 현행 지방재정조정 제도의 위상을 약화시키는 결과를 야기할 가능성이 높다.

진보적 개혁 방향은 지방재정조정 제도 강화

필자는 현행 지방재정조정 제도를 강화하는 것이 옳은 길이라고 생각한다. 중요한 것은 전체 조세 중 지방세의 비중이 아니라 자치단체가 재량권을 가지고 실제 사용할 수 있는 재정의 크기이다. 지역 간 격차를 재생산하는 지방세 확충보다는 지방재정조정 제도를 통해 자치단체의 재정을 늘리면서도 지역 간 재정 형평도 도모해 가야한다. 이는 자치단체의 재정구조를 중앙정부와 강하게 연계함으로써 지역주민들이 중앙의 조세 제도 변화에 주목하게 만드는 정치적 효과도 가질 것이다. 지방재정조정 제도를 강화하기 위해서는 두 개의 과제가 있다.

첫째, 지방재정조정교부금 규모를 늘리기 위해서 중앙정부의 직접세 수입이 확대되어야 한다. 지방재정조정교부금이 중앙정부가 거두는 내국세와 연동되어 있기 때문이다. 애초 지방세였던 부동산교부세를 제외하고도 지방으로 이전되는 재정은 지방교부세(내국세 19.24%)와 지방교육재정교부금(내국세 20%+교육세)을 합해 내국세의 40%를 넘는다. 지난 2008년 부자 감세로 2010년부터 줄어드는 지방재정교부금 규모가 무려 연 8조 원에 달한다. 지방소비세 도입으로 증가하는 1.5조 원을 감안해도 결국 자치단체는 연 6.5조 원의 재정 손실을 본 것이다. 소득세 · 법인세 · 종합부동산세 등 직접세를 인상해야 하며, 당장 이것이 어렵다면 사회복지세를 통한 증세 방안도 적극 검토해야 한다.

둘째, 장기적으로 지방교부세율을 상향하는 것이 바람직하겠지만, 우선은 자치단체의 매칭펀드 부담을 완화하기 위해서 국고 보조율을 상향하고 보편적 성격을 지니는 사회복지사업을 전액 중앙정부 재정사업으로 전환할 필요가 있다. 기초생활보장, 기초노령연금, 보육지원 등은 규모가 크면서 모든 지역에 해당하는 가장 보편적인 복지사업이다. 자치단체가 생활밀착형 행정을 벌여 이 사업들을 집행하되, 그 재정은 모두 중앙정부 복지 예산으로 충당하는 것이 옳다.

그러면 상대적으로 취약계층이 많아 복지 사업 매칭펀드 부담이 큰 가난한 자치단체의 재정 구조에 숨통이 트일 것이며, 새로 생긴 예산으로 지역 특성을 살린 자체 복지 사업을 벌일 수 있을 것이다.

자치단체의 낭비 지출을 복지 지출로 전환해야

중앙재정과 지방재정의 관계를 다루는 이 글에선 본격적으로 논의되지 않았지만 자치단체의 세출 구조 개혁도 매우 중요하다. 2010년 전체 자치단체 지출 139.9조 원 중 사회복지는 26.5조 원인데 반해 국토 및 지역 개발, 수송 및 교통 예산이 29.3조 원에 달한다. 자치단체 호화청사 건설, 불필요한 지역 개발 사업, 전시성 이벤트 행사 등 낭비 사업을 지역주민의 복지를 위한 사업으로 전환해야 한다.

이를 위해선 지방예산에 대한 꼼꼼한 추적과 분석이 필요한데, 아직 진보 진영은 이에 대한 경험도 부족하고 접근할 수 있는 자료도 충분히 갖고 있지 못하다. 지금까지는 지역사회 단체나 언론이 특정 사업을 조명하는 수준에 머물러 왔다. 다행히 2010년 지방선거 결과 일부 지역에서 진보정당 후보가 자치단체를 운영할 수 있게 되었다. 향후 자치단체의 운영 경험을 축적하면서 전국적으로 자치단체의 예산 지출을 비판적으로 분석하고 개별 사업을 넘어 전체 지출 구조에 대한 총괄적 개혁 방안을 마련해 가야한다.

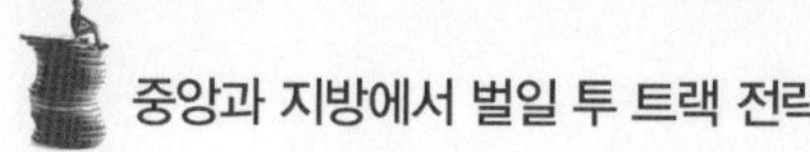

중앙과 지방에서 벌일 투 트랙 전략

지금까지 지방재정조정 제도에 대하여 살펴보았다. 한국의 세제가 국세 중심으로 되어 있어 자치단체 재정자립도가 낮지만 이를 보완하는 재정조정 장치가 마련되어 있음을 알 수 있었다. 하지만 현재 지방교부세가 자치단체 행정을 보장할 만큼 충분하지는 않다. 지방재정 안정화를 위해서는 무엇보다 내국세(소득세, 법인세 등)와 종합부동산세 세수가 증가해야 한다. 이처럼 자치단체 재정은 지방재정조정 제도에 의해 중앙정부 재정과 연관되어 있다. 그래서 자치단체 예산 활동의 핵심 대상이 지방이 아니라 서울 여의도라고 해도 과언이 아니다. 지금까지 자치단체 예산 활동은 해당 지역에서만 이루어져 왔다. 언젠가 새로운 모습으로 벌어지는 지방예산 활동을 상상해본다. 전국의 관광버스가 모두 상경해 여의도 국회를 에워싸는 활동 말이다.

정리하면, 시민사회가 지방재정 개혁활동은 중앙정부와 자치단체를 상대로 한 투 트랙 전략이 필요하다. 하나는 전국의 모든 관광버스가 여의도 국회와 청와대를 에워싸 직접세율 인상과 국고 지원 확대를 요구하는 것이고, 또 하나는 지방에서 보수 세력의 콘크리트 사업과 정치적 낭비 사업을 폭로하면서 이것을 민생 예산으로 돌리는 일이다.

5부

결론: 대한민국 금고 재설계 하기

17
장

국가재정의 진보적 개혁을 위한 과제

지금까지 진보의 눈으로 국가재정의 기본 개념, 주요 논점들을 다루었다. 아직까지 한국에서 진보운동 세력이 소수 세력으로 머물러 있지만, 언젠가 대한민국을 직접 운영하겠다는 포부를 놓지 않는 한 국가재정 공부는 필수다. 결론격인 이 장에서는 본문의 내용을 되돌아보면서 진보운동의 시각에서 국가재정의 개혁 과제를 종합적으로 정리해 보겠다.

국가재정 이해를 위한 핵심 개념, '재정 전략'

우선 필자가 관심을 가진 것은 신자유주의 시대 국가재정의 독특한 위상이었다. 1980년대 이후 '시장만능주의'가 확산됨에 따라 대부분 국가의 역할은 대폭 축소되었다. 특히 산업정책, 규제정책, 금융정책에서의 국가의 후퇴는 역력했다. 그런데 국가의 역할 중 크게 변하지 않은 것이 재정이었다. 이 시기 OECD 국가들의 국가재정 규모는 GDP 40%대를 유지했고, 복지 지출은 국가재정의 절반에 가까운 GDP 20%를 지켜 왔다. 이는 국가재정을 둘러싼 이해관계 구조가 쉽사리 변화지 않는다는 점을 시사한다. 그런데 한국에서 국가재정은 관심의 사각지대에 방치되어 있었다. 재정의 역할도 이에 대한 기대도 미약했다. 다행히 금융위기에 따른 재정 적자, 이명박 정부의 부자감세, 4대강 사업의 강행 등을 계기로 2009년부터 한국에서도 국가재정이 정치의 한복판으로 등장했다.

한국의 국가재정 체계를 이해할 때 주목할 단어는 '재정 전략'이다. 전통적으로 한국의 국가재정은 개별 사업들의 총합에 가까웠다. 그런데 노무현 정부 들어 국가재정에 '전략' 개념이 도입되었다. 당시 노무현 대통령은 경제 권력을 시장에 넘겨주었지만 국가재정에서만은 자신의 '국정 전략'을 구현하고자 했다. 이제 9,000여 개의 정부사업들이 16개 분야별로 분류되고 대통령이 참석하는 국가재정전략회의에서 '전략적으로' 재정이 배분되고 있다.

필자는 한국의 국가재정에 전략 개념이 도입된 것을 중요한 발전으로 평가한다. 언젠가 진보 세력이 집권했을 때에도 '전략적 재정 배분'을 해야 한다. 물론 이것이 반드시 긍정적인 효과를 낳는 것은 아니다. 나쁜 정권에게 날선 칼은 위험한 무기로 전락하기 마련이다. 안타깝게도 노무현 정부가 만든 이 칼을 물려받은 무사는 이명박 정부이다.

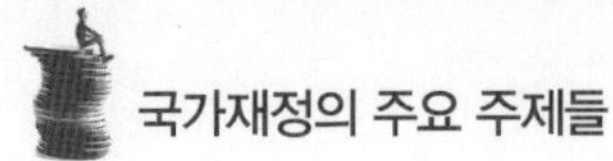

필자가 이전부터 관심을 갖고 있던 주제는 조세였다. 무엇보다 재정 수입이 늘어야 했기 때문이다. 이에 내용을 조세를 출발로 성인지 예산제, 복지 재정, 예비타당성 조사, 민간투자사업, 국가채무, 지방재정의 순으로 국가재정의 논점을 구성해 보았다. 필자의 관심이 반영된 주제 목록이지만 한국의 국가재정에서 논의되는 대부분의 주제가 포괄되었다고 생각한다. 각각을 간단하게만 다시 확인해보자.

적은 총직접세

국가재정 규모가 작은 한국에서 주목해야할 주제는 조세이다. 보통 한국 조세 체계에서 간접세 비중이 높다고 알려져 있으나 필자는 한국 조세의 핵심 문제점으로 '적은 총직접세'를 꼽았다. 총직접세는 필자가 일반 직접세와 사회보험료를 합쳐 만든 용어인데, 국가재정 개혁의 기본 방향이 증세라는 점을 강조하기 위한 작업의 일환이다. 근래 한국에 일고 있는 보편 복지 물결을 타고 향후 증세 운동이 본격화되길 기대한다.

성인지 예산제

성인지 예산제는 모처럼 기분 좋은 주제였다. 다른 나라와 비교해서도 매우 강력한 제도를 한국이 가지고 있기 때문이다. 현재 약 60개국에서 성인지 예산제가 시행되고 있지만 법적인 형태로 도입된 국가는 한국, 프랑스, 필리핀 정도이다. 안타깝게도 적용 첫 해인 2010년 성인지 예산제는 '이름'뿐인 제도로 취급됐다. 이명박 정부에게 성인지 예산제를 기대한 것 자체가 무리였을지도 모르겠다. 성인지 예산제는 여전히 여성운동과 진보운동 모두에게 중요한 숙제다.

복지 재정 규모

복지 재정은 항상 뜨거운 주제이다. 관련 수치도 여럿 존재해 필자 역시 혼란을 느꼈던 주제였다. 이에 우리 주위에서 접할 수 있는 여섯 개 복지 지출 수치를 비교정리했다. OECD 기준으로 재구성해 보면, 2009년 한국의 복지 지출은 약 90조 원대 후반, GDP 대비 약 9%로 추정된다. 이는 OECD 평균에 비하면 약 GDP 11% 포인트, 금액으로 무려 110조 원이 부족한 것이다. 이 장벽을 넘어서기 위해선 진보운동의 보다 치밀하고 대담한 활동이 요청된다.

예비타당성 조사와 민간투자사업

국가재정 지출 영역에선 예비타당성 조사와 민간투자사업을 눈여겨 보아야 한다. 원래 예비타당성 조사는 재정 사업의 부실을 막고자 도입된 괜찮은 제도였는데, 4대강 사업을 강행하려는 이명박 정부에 의해 심각하게 훼손되고 있다. 민간투자사업도 지금 '세금 먹는 하마'로 재정을 축내고 있다. 역대 정권들이 자신의 임기 중 부담이 적다는 이유로 민간투자사업을 남발한 탓이다. 민간투자사업은 21세기형 민영화로 불릴만하다.

국가채무 규모

후반부에 다룬 국가채무 주제는 필자가 힘들여 정리한 글이다. 이명박 정부 임기 내내, 특히 2012년 대통령선거에서 국가채무가 중요한 정치적 의제로 등장할 것이므로 이는 한번은 정리해야 할 숙제다. 왜 한국에서 국가채무 규모가 혼란스러운지를 국제 기준의 차이로 설명했고, 한국의 실제 국가채무 규모가 정부의 공식 발표보다 훨씬 많다는 점을 지적했다.

지방재정, 부족과 격차

2010년 지방자치 선거를 계기로 지방재정 문제도 상세히 다루었다. 현재 지방재정은 절대 금액에서 '부족'하고 지방마다 '격차'를 보이는 두 가지 문제를 지니고 있다. 일반적으로 지방세를 강화하자는 게 중론이나 필자는 중앙정부의 역할을 중시하는 지방재정조정 제도를 강조했다. 자치단체 간 이해관계의 차이를 조정할 수 있는 주체는 중앙정부 밖에 없다고 보기 때문이다.

국가재정 수입 구조 개혁: 부자 감세 원상회복, 사회복지세 도입, 사회보험료 상향

그렇다면 앞으로 진보운동 세력이 추진해 나갈 국가재정 개혁 과제는 무엇일까? 사실 진보운동 세력이 소수파에 머물러 있는 지금 단계에서 진보적 재정 전략은 '정책'보다는 '운동'이다. 그만큼 사업 목표의 달성 여부보다는 이 과정에서 형성되는 주체들을 눈여겨보아야 한다. 이후 생산적인 토론을 바라며 몇 가지 개혁 과제를 제안한다.

우선 국가재정 수입 구조를 보자. 여기서 핵심 목표는 사회공공적 예산을 확충하는 일이다. 결국 증세 이야기를 피할 수 없다. 의료 · 교육 · 연금 · 주거 · 에너지 · 대중교통 등은 모두 막대한 재정을 필요로 한다. 또한 증세는 이명박 정부의 '지출 통제' 프레임에 맞서 '세입 확대 프레임'을 만들어내는 일이기도 하다. 지금까지 진보운동 세력은 재정 문제가 우리 책임이 아니라거나, 혹은 부자나 기업에게 더 거두면 된다고 주장해 왔다. 틀린 말은 아니다. 하지만 이제는 국가재정 수입 확보에 보다 실질적인 관심을 가져야 한다. 상위 계층의 재정 책임을 압박하기 위해 전체 사회구성원들의 재정 참여도 주저하지 말아야 한다. 이를 위해 다음 세 가지를 제안한다.

첫째, 2008년 부자 감세를 원상으로 되돌려 놓아야 한다. 돌이켜 보면 1990년대에는 노동운동 역시 소득세율 인하를 요구했었다. 조합원들의 근로소득세 부담을 낮추기 위함이었다. 그런데 이명박 정부의 부자 감세로 인해 이제 대중들은 감세가 부자에게 유리하다는 사실을 몸으로 확인했다. 이는 값비싼 비용을 들여 이명박 정부로부터 얻은 소중한 학습효과다.

국가재정에 항구적 영향을 미치는 2008년 부자 감세는 이명박 정부에게 임기 내내 부담스러운 의제이다. 다행히 2010년 시행 예정이던 소득세와 법인세 최고세율 인하가 2012년까지 2년 유예되었다. 이에 2011년 하반기에는 다시 최고세율 인하 시행 건이 정치적 쟁점으로 등장할 것이다. 진보운동 세력이 끈질기게 부자 감세 문제를 되돌리는 강력한 압력을 만들어 내야 한다.

둘째, 사회복지세 도입 운동을 펼치자. 이명박 정부의 부자 감세를 철회하더라도 한국 국가재정의 적은 세입 문제가 해결되는 것은 아니다. 지금의 취약한 국가재정과 부끄러운 복지 지출 현실은 변하지 않는다.

현재 이명박 정부의 감세를 두고 비판의 목소리가 높다. 감세가 부자에게 유리하다면 반대로 증세는 서민에게 혜택을 준다는 것이 논리적 결론일 것이다. 그런데 조세 인프라가 취약해 과세 형평성 논란이 끊이지 않고, 정부의 재정 지출에 대해서도 불신이 깊어 시민들이 선뜻 직접세 인상에 동의하기 어려운 게 현실이다. 그래서 대안으로 떠오른 것이 사회복지세다. 이 세금은 소득세, 법인세 등 직접세와 개별소비세(구 특별소비세)에 부가될 수 있으며 세입이 모두 복지 지출에 사용되는 목적세다. 한국처럼 복지 체험이 취약해 증세 저항이 있는 곳에선 소득세보단 '복지와 조세'를 연계한 세목이 국민의 동의를 구하는 데 수월할 것이다.

이 때 논점은 사회복지세를 소수 부자들만 내는 '부유세' 방식으로 도입할지, 아니면 다수가 참여하는 '일반 직접세'로 설계할지에 있다. 전자는 기존 부유세처럼 진보운동의 선명성을 보여줄 수는 있겠지만 국가재정 확충을 위한 실질적인 경로를 대중에게 보여주기 어렵다고 생각한다.

근래 '보편 복지'가 부상하고 있다. 보편 복지처럼 증세 주체도 가능한 많은 사람을 포괄할수록 좋다. 중간 계층이 공공재원 마련에 참여하며, 이들이 부자들의 재정 책임 이행을 압박하는 주체로 성장하도록 해야 한다. 이러한 면에서 2010년에 발의된 상위 5% 계층만을 과세 대상으로 하는 진보신당의 '사회복지세' 방안에 대해선 재검토가 필요하다. 사회복지세의 '잠재력'이 묻힐까 우려된다. "내라"보다는 "내자"가 훨씬 강력하다.

셋째, 사회보험 재정을 적극 늘려야 한다. 한국의 사회보험료 비중은 OECD 국가에 비해 상당히 낮다. 사회보험의 재정 수입 확대를 위해 노사의 보험료율을 일률적으로 상향하는 것을 적극 검토해야 한다. 보험료율이 인상되면 가입자의 부담이 늘어나지만 이를 통해 확보되는 급여가 훨씬 커 결과적으로 가입자의 급여를 확대하고 소득 재분배를 강화하는 연대 효과가 발생한다. 뒤에서 제안하겠지만, 한국에서 사회보험료를 인상할 경우 가장 적절한 대상은 건강보험이다.

국민연금의 경우 지금 바로 보험료 인상을 논의하기는 힘들다. 국민연금은 미래 연금급여가 법에 의해 사전에 정해지는 확정급여형 제도여서 보험료 인상이 자동으로 급여 확대로 연동되지 않으며, 현재 연금 사각지대가 지나치게 커 보험료 인상이 오히려 제도 가입자와 미가입자 간 격차를 심화시키는 역효과도 낳을 수 있기 때문이다. 이후 국민연금 수급자가 늘어나 연금 신뢰가 형성되고, 기초노령연금이 확대되는 것에 발맞추어 점진적으로 연금보험료 상향을 검토해야 한다.

국가재정 지출 구조 개혁: 복지 특별회계 신설, 사회적 약자 인지적 예산 강화

한국에서는 재정 지출 구조에 대한 국민의 불신이 특히 크다. 오랫동안 권위주의 체제가 지속되면서 국방과 치안 지출이 과도하고, 재벌 육성으로 귀결되는 경제 산업 지출도 많다. 반면 복지 지출은 OECD 회원국으로 얼굴을 내밀지도 못할 수준이다. 국가재정 지출 구조의 개혁 방향은 아래와 같다.

첫째, 불필요한 토목사업과 과도한 국방비를 줄이고 한국사회에 절실한 복지 지출을 확대해야 한다. 2006년 기준 한국의 국방비 지출은 GDP 대비 2.8%로 OECD 평균(GDP 1.4%)의 두 배다. 이미 냉전 체제가 와해된 상황에서 이렇게 국방비 몫이 많다는 것은 부끄러운 일이다. 경제 관련 지출도 GDP 6.4%로 OECD 평균(GDP 4.5%)의 1.5배에 이른다. 대부분이 대기업 지원과 SOC사회간접자본 사업에 속하는 경제 지출을 복지 분야로 전환해 나가야 한다.

여러 차례 언급했지만, 한국의 복지 지출은 2009년 기준 약 GDP 9%로 추정된다. OECD 평균인 약 GDP 20%에 비해 11% 포인트, 금액으로 약 110조 원이 부족하다. 한국의 세입을 OECD 국가들과 비교해 보면 직접세와 사회보장 기여금을 합한 총직접세가 OECD 평균에 비해 약 GDP 7% 포인트 작다. 따라서 향후 110조 원의 복지 재정을 마련하기 위해서는 우선 대략 70조 원은 총직접세 인상(증세와 사회보험료)으로, 나머지 40조 원은 지출 구조 개혁으로 충당될 수 있을 것이다.

둘째, 재정 지출 구조 개혁의 상징으로 '복지확충 특별회계'를 신설하자. 한국의 사회복지는 기존의 예산배정 방식으론 현재 수준을 넘기가 어렵다. 이에 복지 지출이 일정 수준(가령 OECD 평균)에 이를 때까지 특별회계를 통해 복지 재원을 늘려 나가야 한다. 오랫동안 한국의 서민들은 복지에 대한 기대를 접어 왔다. '복지 좌절' 상태다. 복지확충 특별회계가 도입되어 보육 · 교육 · 기초노령연금 등의 보편 복지 확대 전략을 마련할 수 있다면 복지에 대한 국민들의 실질적인 기대가 높아질 것이다. 재원은 기존 일반회계 세입과 사회복지세 전입으로 충당될 수 있다.

셋째, 재정 지출이 사회적 약자 중심으로 이루어지도록 제도적 토대가 마련되어야 한다. 대표적 사례가 성인지 예산제다. 성인지 예산제란 성평등을 제고할 수 있도록 국가재정을 편성 · 집행하는 것을 의미한다. 진보운동 세력은 성인지 예산제가 관료적으로 운영되지 않도록 개입해야 하며 나아가 성인지 개념을 장애, 이주민 등으로 확대해 '사회적 약자 인지 예산'을 주창해야 한다.

넷째, 재정 사업이 사회공공적 방향으로 추진될 수 있도록 예비타당성 조사가 개혁되어야 한다. 현재 예비타당성 조사는 '조사'만 의무일 뿐, 결과에 대한 조치를 위한 법령은 마련되어 있지 않다. 그 결과 지난 5년간 예비타당성 조사에서 타당성이 없다는 판정을 받은 많은 사업들이 그대로 강행되었다. 설상가상으로 이명박 정부는 면제 조항을 악용해 예비타당성 조사 자체를 무력화하고 있다. 국가재정법을 시급히 개정해 예비타당성 조사 대상을 직접 법률에 명시하고, 조사 결과에 따른 시정 조치를 취할 수 있는 조항을 추가해야 한다. 또한 현재 예비타당성 조사가 지나치게 재무적 가치를 중심으로 진행되는 것을 넘어서야 한다. 환경 · 인권 · 고용 · 지역사회 등 사회공공적 가치가 반영될 수 있도록 타당성 조사 기준이 새롭게 마련되어야 한다.

국가재정 심의 체계 개혁: 재정의 전략적 편성에 조응한 국회 심의 체계 마련

한국에도 국가재정법 제정으로 중기재정운용계획, 프로그램 예산제도, 하향식 예산편성 등 전략적 재정배분 제도가 도입되었다. 정부의 예산편성 과정이 체계화되고 있는 것이다. 그런데 이에 조응하는 국회의 심의 체계는 마련되지 못한 상태다. 게다가 여전히 국회는 구시대적 행태를 보이고, 시민들의 민주적 참여 통로도 부재하다. 국가재정 심의 체계의 민주화를 위해 두 가지를 제안한다.

첫째, 국회의 예산 심의 방식이 행정부의 국가재정 운용 체계에 맞추어 개편되어야 한다. 지금은 국회의 예산안(기금안 포함) 심사가 여전히 단년도 및 부처별 상향식 방식대로 이루어지고 있어 전략적 재정배분을 전혀 검토하지 못하고 있다. 이제는 국회 예산 심의에서 예산결산특별위원회가 먼저 16개 분야별 예산한도를 심사하고, 그것을 토대로 상임위원회가 부처별 예산안을 심사하며, 이것을 국회 예산결산특별위원회가 다시 취합하여 분야별, 부처별 예산안을 심의하는 절차를 거쳐야 한다(김성태 2008: 299).

국회가 정기국회에서 예산안을 심의하기 전에 사전에 중기재정운용계획을 검토하는 '사전예산 제도Pre-Budget'도 검토할 필요가 있다. 이는 정부가 정기국회에 본예산을 제출하기 전에 중기재정운용, 분야별 지출한도 등을 사전에 국회에 제출하는 제도다(국회예산정책처 2008b: 120).● 사실상 다음해 예산안의 기본 골

● 사전예산 제도는 정부가 중기재정운용계획을 논의할 단계에서부터 이해관계자, 국회와 논의하여 중기재정안의 사회적 타당성을 제고하는 작업이다. 이는 중기재정운용제도를 도입한 영국, 스웨덴, 뉴질랜드 등에서도 시행되고 있다. 만약 이 제도가 도입되면 정부가 사실상 전략적 재정 배분을 확정하는 4~5월에 이 계획안을 국회에 제출해 사전 심의를 받고, 이 결과를 반영해 실제 국회 제출 예산안을 정하는 방식으로 이루어질 것이다. 물론 이를 위해서는 국회 예산결산특별위원회가 강화되어야 한다. 한편 이 제도에 대해서는 우려의 목소리도 있다. 실제 4~5월에 국회가 사전 예산을 심의하는 게 현실적으로 어렵다는 점, 한국처럼 국회가 보수적이고 재정수지 균형에 가치를 두고 있는 경우 재정 확대를 막는 길목이 될 수 있다는 점 등이 주요 이유이다.

격을 결정하는 국가재정전략회의의 결과를 정기국회 이전에 살펴보아야 하기 때문이다.

둘째, 시민들이 국가재정 관리 체계에 직접 참여할 수 있어야 한다. 이론상 국회를 통한 대의 체제가 시민의 역할을 대표하는 것이지만, 한 번의 선거로 4년간의 모든 의사결정을 위임한 것은 아니다. 정부와 국회의 예산 활동에 시민들의 적극적인 참여가 보장되는 통로가 마련되어야 한다.

이에 일정한 규모의 시민이나 시민사회단체가 일부 사업의 예산안을 편성해 국회에 제안하거나, 반대로 시민 대표들이 국회에 제출된 예산안을 예비 심사하는 등 다양한 시민참여 예산제가 검토될 수 있다. 그런데 이러한 참여예산 활동은 참가자의 열정뿐만 아니라 일정한 숙련을 필요로 한다. 현재 일부 자치단체에서 도입된 참여예산제가 형식화된 이유에는 참여 주체들의 한계도 작용하고 있다. 지금부터 진보운동, 시민사회운동은 참여예산 활동을 벌이기 위한 준비 작업에 적극 나서야 한다.

참여재정 모델 만들기: '건강보험 하나로' 풀뿌리운동

지금까지 진보운동 세력은 복지 확대를 요구해 왔다. 하지만 '당위적'인 요구가 갖는 한계를 인식할 필요가 있다. '어떻게'가 빠진 무상의료가 그 대표적 예다. 구체적인 실현 경로를 가진 복지 모델을 만들어내야 한다. 복지 체험 가능성이 가시권에 들어왔을 때 시민들의 재정 확보 운동은 더욱 힘을 낼 수 있다. 이에

'참여재정' 방식의 모델 만들기 운동을 제안한다.

건강보험에 주목하자. 건강보험은 한국에서 시민들이 그나마 복지라고 느끼는 제도다. 아직도 중병에 걸릴 경우 과중한 본인부담금으로 가계가 무너지고 있고 이를 빌미로 사보험이 확장하고 있지만, 그래도 한국의 시민들은 〈식코Sicko〉를 보면서 한국의 건강보험을 대견하게 바라본다. 한국사회처럼 공공부문에 대한 불신이 큰 사회에서 건강보험이 절반의 성공을 거두고 있는 것은 적극적으로 평가할만한 일이다.

문제는 나머지 절반이다. 이 절반으로 인해 시민들이 고통을 받고, 불안을 해소하고자 무리를 해서라도 민간의료보험에 가입하고 있다. 시민들이 민간의료보험에 위탁해버린 나머지 절반의 신뢰를 건강보험이 찾아와야 한다. 건강보험 보장성 확대는 건강보험의 재정 확대를 요구한다. 재정 방안을 구체적으로 마련해야 한다. 가입자들은 아프기 전에는 보험료로, 아픈 후에는 본인부담금으로 두 차례 병원비를 지출한다. 그런데 전자의 비용은 소득에 따라 납부하고 후자의 비용은 아픈 만큼 내야 한다. 어차피 가입자들이 지불해야 할 재정이라면 소득에 따라 부과되는 보험료를 확대하고 경제 능력을 무시하고 부과되는 본인부담금을 최소화하는 것이 중요하다. 이것이 '무상의료'다. 무상의료는 공짜의료가 아니라 진료 후 지불하는 본인부담금의 제로화를 의미하는 것이다.

2010년 건강보험이 확보한 재정은 36조 원에 불과하다. 그래서 보장성이 62%에 그치고 나머지는 국민들이 직접 본인부담금으로 지불해야 한다. 본인부담금은 서민일수록 무겁게 다가오는 역진적 성격의 비용이기 때문에 본인부담금을 최소화하는 작업이 중요하다. 2010년 발족한 '모든 병원비를 국민건강보험 하나로 시민회의(건강보험 하나로 시민회의)'가 제안하듯이, 건강보험이 12조 원의 재정을 더 확보하면 입원 중심 병원비의 보장성을 90% 수준으로 올리고 어떤 질병에도 1인당 본인부담금을 연 100만 원이 넘지 않는 '100만 원 상한제'가 가능하다. 사실상의 무상의료를 우리도 누릴 수 있는 것이다.

〈표41〉 사례: 노동자 건강보험료 추가 부담의 연대 효과

	노동자	사용자	정부	연대 효과
추가 부담	5조 원	5조 원	2조 원	능력에 따른 부담
추가 급여	12조 원			필요에 따른 수혜

'건강보험 하나로 시민회의'는 건강보험료 인상을 재정 확충의 지렛대로 삼자고 제안한다. 논리는 이렇다. 〈표41〉에서 보듯이 직장 가입자들이 5조 원의 건강보험료를 더 낸다면, 국민건강보험법에 의거하여 사용자가 5조 원을 추가 납부해야하고, 정부 역시 전체 보험료 추가수입 10조 원의 20%인 2조 원을 지원해야 한다. 즉 가입자가 5조 원을 더 내면 이를 지렛대로 총 12조 원의 건강보험 재정이 확보될 수 있다. 이 때 가입자가 부담하는 5조 원은 소득에 따라 정률적으로 부과되지만(능력에 따라), 건강보험이 확보한 12조 원은 아픈 만큼 지급되는 재정이다(필요에 따라). 비록 노사 일률 인상으로 직장 가입자의 보험료 부담이 생기지만, 이것이 가입자에게 돌려주는 급여확대 효과와 사회연대 효과는 막대하다. 만약 직장 가입자를 조직하고 있는 노동조합이 이러한 프로그램에서 중심 역할을 할 수 있다면 노동운동의 사회적 영향력도 커질 것으로 기대된다. 시민들이 건강보험으로 모든 질병을 해결하는 실질적 무상의료를 체험하는 데 노동운

동이 중요한 역할을 하는 것이다.

지금까지 진보 진영에서 '보장성 강화를 위한 건강보험료 인상'을 두고 오랫동안 논란이 거듭되어 왔다. 비판자들은 경제위기를 맞아 노동자의 추가 보험료 부담이 어느 때보다 크고, 건강보험 재정 확대가 의료 공급자의 도덕적 해이를 부추길 수도 있다고 우려한다. 하지만 필자는 이러한 비판들이 건강보험 재정 확대 사업과 근본적으로 상충되지 않는다고 판단한다. 취약계층의 추가 보험료에 대해선 감면제를 도입하고, 의료 공급자의 과잉 진료를 낳을 진료비 지불 제도 문제는 오히려 건강보험 재정 확대 운동을 계기로 본격적으로 공론화될 수 있다. 건강보험 보장성 확대, 이로 인한 민간의료보험의 무력화를 생각하면 보험료 인상 전략의 효과는 분명하다. 이를 통해 진보운동 세력이 실질적인 복지 모델 사례를 만들어야 한다(건강보험 하나로 2010; 오건호 2010b).●

한국형 복지 국가를 향한 세 박자 재정 전략

2010년 지방선거에서 등장한 '무상급식'을 계기로 한국에서 보편적 복지국가 운동이 주목을 받고 있다. 그런데 복지국가운동에게 항상 제기되는 질문은 '그 많

● 이 운동의 기본 내용에 대해선 '건강보험 하나로'의 〈모든 병원비를 국민건강보험 하나로 제안 설명서〉 (2010. 6. 9), 이 운동에 제기된 비판에 대한 반론으로는 〈프레시안〉에 실린 오건호의 "'건강보험 하나로' 비판에 답한다(上, 下)" (2010. 7. 12와 2010. 7. 13)를 참조하라.

은 복지재정을 어떻게 마련하느냐?'이다. 이제 진보운동은 한국형 복지국가를 위한 총괄적 재정 전략을 제시해야 한다. 이는 한국사회에 필요한 핵심적 복지 제도는 무엇인지, 이를 실현하기 위한 재원을 어떻게 확보할 것인지에 대한 전략이다.

예를 들어 지금까지 모든 복지 부문의 재정 요구는 '국고 지원 확대'였다. 이것을 요구하는 각 부문 운동의 상황은 이해하지만, 이것이 복지국가를 향한 총괄 재정 전략을 가져야 하는 전체 진보운동의 입장으로 적절한지는 의문이다. 사회복지세를 도입하더라도 모든 복지 부문이 이 재원을 사용할 수 있는 것은 아니다.

〈표42〉 한국형 복지 국가를 향한 세 박자 재정 전략

	내용	제도	재원
취약계층 복지	공공부조	기초생활보장, 취약계층 지원 등	일반 예산
사회보험 복지	노동시장 위험 대응	질병, 산재, 실업, 노후 등	보험료 중심
전략적 보편 복지	시민의 보편적 생활권	기초연금, 보육, 교육 등	사회복지세, 예산전입금

〈표42〉에서 보듯이, 필자는 향후 한국형 복지국가를 위해 세 박자 재정 전략을 제안한다. 이 때 세 박자는 기초연금 · 교육 · 보육 등 대규모 재정이 소요되는 '전략적 보편 복지', 질병 · 고용 · 산재 · 노후 등 노동시장 위험에 대비하는 '사회보험 복지', 그리고 기초생활보장, 저소득층 지원 등 '취약계층 복지'를 말한다. 이 경우 각 복지 부문의 특성을 감안한 재정 방안이 필요하다.

첫째, 연금, 보육, 교육 등 전략적 보편 복지 확대를 위해서 사회복지세 등 전략적 세목을 신설하자. 기초연금, 공공보육, 무상교육 등은 막대한 재원이 필요

한 영역이다. 이에 보편 복지 부문의 재정을 마련하기 위해서는 전략적 세목으로 사회복지세를 신설하고 여기에 일반예산의 복지 지출 전입금을 추가할 수 있다.

둘째, 질병 · 고용 · 산재 · 노후 등 노동시장 위험 복지를 위한 재정은 사회보험 제도를 적극 활용해야 한다. 한국에서 노동시장 위험 복지가 사회보험 제도 형식으로 발전되어 왔다는 것을 감안하면, 사회보험의 재원은 '보험료' 방식을 토대로 조성되는 것이 적절하다. '건강보험 하나로' 시민운동의 주장처럼 국고 지원과 별도로 정률로 부과되는 보험료가 갖는 진보성이 과소평가될 이유가 없다.

셋째, 기초생활보장과 같이 취약계층을 대상으로 한 복지 사업은 기존의 정부 예산 구조를 활용해야 한다. 사회복지세 도입, 사회보험료 상향 등으로 전체 복지 재정이 확대됨에 따라 취약계층에 사용될 수 있는 일반예산의 여지가 상대적으로 커질 것이다. 취약계층 지원 대상에 따라 맞춤형 복지 사업을 벌여야 한다.

 진보적 국가재정 전략을 만들어라!

지금까지 국가재정의 수입 구조 · 지출 구조 · 심의 체계 개혁 방안을 살펴보고 참여재정 모델을 만들기 위한 예로 '건강보험 하나로' 시민운동, 그리고 한국형 복지 국가를 향한 '세 박자 재정 전략' 등을 제시했다. 각각이 진보 진영 내부에서 토론이 필요한 것들이고, 무르익는다면 진보운동의 실천으로 발전할 수 있는 의제들이다.

결국 전략이다. 정부도 '재정 전략'을 가지고 국가를 운영하듯, 진보운동 세력도 사회구성원들에게 국가재정의 미래 비전을 제시하는 전략을 마련해야 한다. 지금까지 국가재정 이슈는 정부가 국회에 예산안을 제출하는 시점을 전후해서야 떠올랐고, 진보 진영 역시 정기국회에 맞추어 활동을 벌였다. 이제는 5월 국가재정전략회의부터 적극적으로 대응해야 한다. 나아가 부자 감세 철회, 4대강 사업 중단, 복지 지출 확대 등 부문별 요구를 넘어 진보적 재정 전략을 만들어 가야 한다.

〈표43〉 한국과 OECD 국가재정 주요 수치 비교 (단위: GDP %)

	국가재정 (2009)	국민부담률 (2007)	조세부담률 (2007)	총직접세율 (2007)	공공복지 (2009)	사회임금 (2000년대 중반)
OECD	44.8	35.8	26.7	24.6	20.6	31.9
한국	33.8	26.5	21.0	17.5	약 9	7.9
차이	11.0	9.3	5.7	7.1	약 11	24.0

* 총직접세율은 직접세와 사회보험료를 합친 것. 사회임금은 총가계운영비 중 비중.

〈표44〉 진보적 재정 전략의 예시

항목	목표	참고
재정지표 목표	복지 지출 GDP 20.6%	2009년 기준 110조 원 확충
생활지표 목표	사회임금 31.9%	2000년대 중반 한국 7.9%
재정확충 경로	총직접세 GDP 24.6%	2007년 한국 17.5%
재정확충 방안	사회복지세 도입, 건강보험료 인상, 지출 구조 개혁 등	참여재정 운동
핵심 구체 사업	무상급식, 건강보험 하나로 운동 등	진보적 모델 만들기

그렇다면 진보운동이 제안할 수 있는 재정 전략은 어떤 것일까? 〈표43〉은 독자의 이해를 돕기 위하여 지금까지 다루어진 국가재정의 주요 수치를 정리한 것이고, 〈표44〉는 진보적 재정 전략에 대한 상상을 위하여 필자가 만들어 본 예시이다.

진보적 재정 전략을 세우기 위해선 우선 재정지표 목표가 설정될 필요가 있다. 워낙 한국의 국가재정 상태가 열악한 까닭에, 전략적 달성 목표 수준을 현행 OECD 평균으로 설정해도 정당성이나 진보성에서 큰 문제는 없을 듯하다. 이 목표를 달성하기 위한 단계별 로드맵도 구체적으로 마련되어야 할 것이다.

〈표43〉을 보면 2009년 OECD 평균 국가재정 규모는 GDP 44.8% 수준이다. 지금보다 GDP 11% 포인트를 늘리는 것이 목표다. 하지만 필자는 국가재정의 총량 규모보다는 사회적 관심이 큰 분야의 지출 목표가 대중에게 보다 설득력을 지닌 수치라고 생각한다. 이에 복지 재정 수치를 목표로 설정해 보았다. 따라서 진보적 재정 전략의 재정지표 목표는 '복지 지출 GDP 20%', 즉 '복지 재정 110조 원 확대'가 될 것이다.

한편 진보적 입장에서 재정 전략의 목표를 사회구성원들이 체감할 수 있는 일상생활에서의 수치로도 제시할 필요가 있다. 복지 재정 110조 원, GDP 11% 포인트 등의 수치가 일반 시민들에게는 멀게 느껴질 수 있기 때문이다. 이에 필자는 사회임금을 생활지표 목표로 설정했다. 사회임금은 전체 가계운영비 중 시장에서 얻는 소득이 아니라 사회적으로 받는 소득의 비중을 나타낸다. 거시적 복지 재정 수치를 미시적 가계비 수치로 재구성해 대중들이 친숙할 수 있는 의제로 전환한 것이다. 필자의 추정 결과 2000년 중반 OECD 평균 사회임금 비중은

31.9%, 스웨덴은 48.5%인데 반해 한국은 7.9%에 불과했다. 이에 한국의 사회임금을 OECD 수준인 32%로 올리자는 목표를 정하고, 매년 그 달성 수치를 평가할 수 있을 것이다.

그러면 어떻게 복지 지출 110조 원을 마련할 수 있을까? 재정 확충 경로가 제시되어야 한다. 총직접세 확대로 70조 원을 마련하고 나머지 40조 원은 지출 구조 개혁으로 충당하자. 전자는 직접세와 사회보험료를 합친 총직접세율 17.5%를 OECD 평균(GDP 24.6%)까지 높이면 가능하다. 사회복지세 도입과 건강보험료 인상 등이 핵심적인 경로다. 후자는 콘크리트 지출, 국방비 지출, 경제 지원 지출 등을 복지 분야로 돌리는 지출 전환 프로그램을 요구한다.

마지막으로 복지 재정 확충을 실현할 수 있는, 특히 일반 시민들이 참여할 수 있는 구체적인 실천 프로그램Action program이 마련되어야 한다. 시민들에게 재정 목표는 단지 수치일 뿐이고 그것에 이르는 구체적인 사업이 훨씬 중요하게 여겨질 것이다. 예를 들어 복지 영역에선 무상의료, 무상보육, 전 국민 실업급여, 공공서비스 일자리 100만 개 등 여러 사업들이 설정될 수 있다. 필자는 무상급식에 이은 보편복지 의제로 '건강보험 하나로' 시민운동의 잠재력에 주목한다. 만약 2012년 대통령 선거까지 진보 진영이 이 의제를 확산해 나간다면, 이 운동은 이후 사회보험을 통해 복지 지출을 늘리는 실질적 방안이 될 것이며, 나아가 진보운동의 권위를 높이는 모델 사례가 될 것이다.

나가는 글

'참여재정' 운동으로 관성을 넘어서자

2010년 5월 이명박 대통령과 모든 장관들이 모여 향후 5년간 핵심 국가재정 의제와 지출 계획을 마련하는 국가재정전략회의가 열렸다. 이 회의에서 정부는 재정 건전성을 향후 국가재정 운용의 핵심 의제로 설정했다. 한국 정부는 2010년 30조 원에 이어 2011년에도 25조 원의 재정 적자를 예상하고 있다. 2011년 국가채무는 436조 원, 국내총생산GDP의 35.1%에 이를 전망이다. 비록 정부가 발표한 국가채무 수준이 외국에 비해 낮지만, 한국 정부가 채무 작성 국제 기준을 엄밀히 따르지 않고 있고, 선진국에 비해 국제 신인도도 낮은 무역 의존 국가라는 점을 감안하면 심각성은 결코 남다르지 않다.

사실 이명박 정부에게 재정건전성은 정권 재창출까지 걸린 중대한 문제다. 2013년 예산안을 제출하는 2012년 가을은 대통령 선거전이 한창일 때다. 만약 그때까지 재정균형을 달성하지 못하면 이명박 정부의 국가관리 능력에 대한 불신이 증폭되고, 2008년의 부자 감세 4대강 사업까지 한꺼번에 비판의 도마에 오를 수 있기 때문이다.

관건은 재정건전성 방안에 있다. 정부는 매년 재정 지출 증가율을 수입증가율보다 2~3% 낮추어 2013~2014년에 재정균형을 달성하고, 국가채무도 GDP의 33%대로 관리하겠다고 한다. 이는 앞으로 국가재정 운용에 '지출 통제' 프레임을 강하게 적용하겠다는 것을 의미한다. 사회공공적 예산의 확충을 주장하는 진보운동에겐 새로운 장벽이 생기는 것이다.

재정수지가 적자이니 지출을 통제하는 것은 당연해 보인다. 그러나 수입이 사실상 정해져 있는 가계운영과 달리 나라의 재정은 수입과 지출이 모두 정책적으로 정해진다. 양 측면을 꼼꼼히 따져보아야 한다. 먼저 한국의 국가재정 지출 규모가 과도한지를 살펴보자. 2009년 한국의 국가재정은 GDP 34%로 OECD 평균(GDP 45%)에 비해 11% 포인트 낮다. 무려 110조 원이나 지출이 적다. 어떤 지출이 부족했을까? 같은 해 한국의 복지 재정은 대략 GDP 9% 수준으로, OECD 평균 약 20%에 비해 11% 포인트가 역시 낮다. 국가재정 지출 차이 110조 원은 다름 아닌 복지 지출 부족분인 셈이다.

이렇게 한국에서 국가재정 규모가 작음에도 재정건전성 문제가 생기는 근본 이유는 총직접세 세입이 너무 적기 때문이다. 과도한 국방비나 사회간접자본 지출 등을 줄이는 구조개혁도 필요하지만, 무엇보다 총직접세 수입을 절대적으로 늘려야 한다.

이명박 정부는 재정건전성을 이유로 지출 통제 프레임을 설정했다. 이에 맞서 진보 진영은 '세입 확충' 프레임을 만들어야 한다. 부자 감세 철회, 사회복지세 신설 운동을 벌이자. 공보험 확장을 위해 모든 병원비를 국민건강보험 하나로 해결하도록 민간보험 부담액을 건강보험료로 전환해 가자. 재정건전성 의제에 대응하는 진보적 방식이 구체적으로 공론화되길 바란다.

이를 위해선 무엇을 할 수 있는가? 시민사회, 노동운동을 포함한 진보 진영의 '참여재정' 운동이 요청된다. '내자'를 밑거름으로 '내라'를 외치자는 것이다. 특히 노동운동의 새로운 실천이 필요하다. 한국사회의 양극화가 심각한 수준으로 진행되면서 노동운동 중심세력들의 사회적 지위보다 더욱 뒤쳐진 사회적 약자 계층이 넓게 존재한다. 이 때문에 정규직 노동조합에 대한 사회의 시선이 더욱 따갑다. 위로는 이윤을 독차지하는 자본 세력과 부유계층이 있지만, 아래로는 하루하루가 힘든 불안정 노동자들이 많다.

필자는 참여재정 운동의 모델 사례로서 건강보험을 강조했다. 이명박 대통령이 '청계천'과 '대중교통체계' 사례를 밑거름으로 국가운영을 위임받았듯이 진보운동에게 현재 시급한 것은 완성된 거시적 담론보다 '지금 여기서' 가능한 모델 사례를 만들어내는 일이다. 필자가 '건강보험 하나로' 시민운동에 주목하는 이유는 이것이 무상의료운동에 그치지 않고 진보운동의 미래 잠재력을 입증하는 모델 효과를 낳을 것으로 기대하기 때문이다.

지금까지 진보운동은 국가와 자본을 향한 요구 투쟁에 집중해 왔다. 이러한 활동을 폄하해서는 안 되지만 그러한 방식에만 의존하는 것은 운동의 범위를 제한할 수 있다. 이제는 진보운동이 세금이든 보험료든 국가재정을 확충하는 방안을 내놓아야 한다. 참여재정 운동은 지금까지 진보운동이 해온 실천 방식에서 보면 새로운 것이다. 그것은 관성을 넘어서는 일이다.

참고문헌

감사원(2009), 〈민간투자사업 추진실태 감사 착수〉 (2009. 7. 1).

국민건강보험공단(2010), 〈2009년도 예산 현황〉 (http://www.nhic.or.kr).

건강보험정책연구원(2009), 〈외국의 건강보험제도〉 (http://www.nhic.or.kr).

건강보험하나로시민회의(2010), 〈모든 병원비를 국민건강보험 하나로 시민회의 제안 설명〉, 《모든 병원비를 국민건강보험 하나로 시민회의 출범식 자료집》.

경실련(2007), 〈민간투자법 제9조에 대한 헌재 제출 의견서〉 (2007. 12).

경실련(2009), 〈4대강 예산 처리 관련 의견〉 (2009. 12. 23).

공정거래위원회(2009), 〈2009년 대기업집단 주식소유현황 등에 대한 정보공개〉 (2009. 10. 23).

국민연금공단(2009), 〈국민연금기금의 기업집단 지분 소유 현황〉 (2009. 3. 6).

국민연금기금운용위원회(2010), 〈2011년도 국민연금기금운용계획〉 (2010. 6).

국민연금재정추계위원회(2008), 《2008 국민연금재정계산 장기재정추계 및 운영개선방향》 (2008. 11).

국회여성위원회(2009), 〈성인지 예산안 심의의 기본 방향과 분석 길잡이〉 (2009. 11).

국회예산정책처(2008a), 《2009년 예산안 분석 I》.

국회예산정책처(2008b), 《대한민국재정 2008》.

국회예산정책처(2009a), 《통계로 보는 재정 2009》.

국회예산정책처(2009b), 《2010년도 성인지 예산서 분석》 (2009. 11).

국회예산정책처(2009c), 〈복지재정 운용구조와 쟁점과제〉 (2009. 11).

국회예산정책처(2009d), 〈사회안전망 등 복지재정 예산안 분석〉, 《2010년 예산안 분석 II : 중점분석》.

국회예산정책처(2009e), 《대한민국재정 2009》.

국회예산정책처(2009f), 《임대형 민간투자사업(BTL) 평가 I: 재정운용 평가》 (2009. 7. 13).

국회예산정책처(2009g), 《민자유치건설보조금사업 평가》 (2009. 5).

국회예산정책처(2009h), 〈총지출 및 재정건전성 분석〉 《2010년도 예산안 분석 I : 총량분석》 (2009. 11).

국회예산정책처(2009i), 〈국가채무 증가속도의 국제비교〉 (2009. 8. 19).
국회예산정책처(2010a), 《2010년도 대한민국재정》.
국회예산정책처(2010b), 《국가재정제도: 원리와 실제》.
기획예산처(2004), 〈국가재정법(안) 주요내용〉 (2004. 10).
기획재정부(2008), 《2008~2012 국가재정운용계획》.
기획재정부(2009a), 〈2010년 나라살림 국회 확정 주요내용〉 (2009. 12. 31).
기획재정부(2009b), 〈2009~2013년 국가재정운용계획(안)〉 (2009. 9. 28).
기획재정부(2009c), 〈2010년 국세 세입예산안〉 (9. 23).
기획재정부(2009d), 〈2010년 예산 · 기금안 주요 내용〉 (2009. 9. 28).
기획재정부(2009e), 《2009 나라살림》.
기획재정부(2009f), 〈민간투자제도의 이해〉.
기획재정부(2009g), 〈사회기반시설에 대한 제2차 민자사업 활성화방안 마련〉 (2009. 8. 12).
기획재정부(2009h), 〈민자사업 협약규모〉.
기획재정부(2010), 〈보도자료: 「성인지(性認知) 예산 · 기금」을 대폭 확대키로〉 (2010. 5. 12).
김성태(2008), 〈우리나라 중기재정계획의 실효성 제고 방안〉 《재정학연구》 1(4): 269-305.
김창보·서상희·오건호(2009), 《건강보험 비급여 의료비 규제를 위한 법제도 방안》 사회공공연구소.
노무현(2009), 《진보의 미래》 동녘.
대한민국정부(2008), 《2009년도 기금운용계획안》.
대한민국정책포탈 특별기획팀(2008), 〈실록 경제정책 ⑤ 미래를 준비하는 전략적 재정운영〉을 참조할 수 있다(http://korea.kr).
마경희(2008), 〈성인지예산제도의 이해와 쟁점〉 (희망제작소 월례포럼, 2008. 6).
민주노동당(2002), 《민주노동당 16대 대통령선거 공약자료집》.
보건복지가족부(2009), 〈2008년 국민연금기금 결산〉 (2009. 2).
보건복지가족부(2009), 〈2010년도 보건복지가족부소관 예산및기금운용계획(안)개요〉 (2009. 10).
보건복지가족부 · 한국보건사회연구원(2009) 《2007년도 한국의 사회복지 지출 추계와 OECD국가의 노후소득보장체계》.
생명보험협회(2009), 《FACT BOOK 2009》.
송원근·오건호(2008), 《국민연금기금의 사회책임투자 활성화 방안》 (국회입법조사처 연구용역보고서).

오건호(2004), 〈연기금의 주식 · 부동산 투자 전면 허용, 어떻게 볼 것인가?: 정부의 기금관리기본법 개정안 비판〉《정부의 기금관리기본법 개정안에 대한 쟁점토론》 심상정 의원실 (2004. 6).

오건호(2008), 《국민연금기금, '누가' '어떻게' 운용할 것인가?》 사회공공연구소.

오건호(2009), 〈한국의 사회임금은 얼마인가?〉 (사회공공연구소 이슈페이퍼 09-05).

오건호(2010a), 〈성인지적 재정전략 없는 성인지 예산제〉 (사회공공연구소 이슈페이퍼 2010-03).

오건호(2010b), 《'건강보험 하나로' 비판에 답한다(上, 下)》 (프레시안 2010. 7. 12/13).

옥동석(2008), 〈2007년말 현재 정부부채의 추정: 개념, 쟁점 및 향후 과제〉 (국회예산결산특별위원회 용역보고서).

이영환·신영임(2009), 《2008년 이후 세제개편의 세수효과》 (국회예산정책처 경제현안분석 제41호).

이원희(2007), 〈지방교부세 제도개편의 평가와 향후과제〉, 민주노동당 《지방교부세 개선 토론회》 (2007. 7).

전형준(2008), 〈국세의 지방세 전환 방안〉 (자유기업원 CFE Report 2008. 11).

정광모(2008), 《또 파? 눈먼 돈, 대한민국 예산》 시대의창.

정금희(2009), 《2008년도 기금 여유자금 운용실태 및 문제점 분석》 회예산정책처.

조건준(2009), 《아빠는 현금인출기가 아니야》 매일노동뉴스.

조성원(2009), 〈국가채무 수준의 국제 비교와 정책적 시사점〉, 자본시장연구원 (2009. 12).

조승수(2010), 《조세정의 실현, 복지 예산 확충을 위한 사회복지세 도입 토론회》 (2010. 4).

조영철(2009), 〈예비타당성조사 제도의 문제점과 개선과제〉 《예산춘추》 2009년 봄호.

행정안전부(2009), 《2009년 지방자치단체 예산개요》.

행정안전부(2010a), 〈지방예산현황: 재정자립도〉 (http://lofin.mopas.go.kr).

행정안전부(2010b), 《2010년도 지방교부세 산정 해설》.

홍헌호(2010), 〈작전명 '1800조 빚 폭탄', 목표는 20 · 30세대〉 (프레시안, 2009. 11. 6).

OECD(2009a), Economic Outlook no. 86. (2009. 9).

OECD(2009b), Revenue Statistics 1965-2008.

OECD(2009c), 《Pension at a Glance 2009》.

OECD(2009d), StatExtracts (http://stats.oecd.org/wbos/Index.aspx?datasetcode=SOCX_AGG. 2009. 12. 17).

찾아보기

표와 그림

진보의 눈으로 국가재정 들여다보기

초판 1쇄 펴낸날 2010년 10월 15일
초판 4쇄 펴낸날 2016년 12월 12일

지은이 오건호
펴낸이 이광호
펴낸곳 도서출판 레디앙
편 집 이정신
디자인 annd
인 쇄 천일문화사

등록 2014년 6월 2일 제315-2014-000045호
주소 서울시 강서구 공항대로 481(등촌동 2층)
전화 02-3663-1521 팩스 02-6442-1524
전자우편 redianbook@gmail.com

ISBN 978-89-94340-04-3 93300

책값은 뒤표지에 있습니다.

이 도서의 국립중앙도서관 출판시도서목록(CIP)은 e-CIP홈페이지(http://www.nl.go.kr/ecip)에서 이용하실 수 있습니다.(CIP제어번호: CIP 2010003486)